La philo *est un jeu*

DANS LA MÊME SÉRIE

Le français est un jeu, Librio n° 672
L'histoire de France est un jeu, Librio n° 813
L'anglais est un jeu, Librio n° 814
La science est un jeu, Librio n° 815
La géographie est un jeu, Librio n° 833
La mythologie est un jeu, Librio n° 834
La littérature est un jeu, Librio n° 837
L'espagnol est un jeu, Librio n° 862

Christophe Verselle

La philo *est un jeu*

Petits exercices
de cogitation philosophique

Librio

Inédit

La collection *est un jeu* est dirigée par Pierre Jaskarzec

Pour Louis et Sohane, peut-être y joueront-ils aussi un jour.

Sommaire

Introduction 9

1. Nous sommes tous des philosophes –
   Qu'est-ce que la philosophie? 11
2. Toute la vérité, rien que la vérité –
   Qu'est-ce que la vérité? 33
3. Ce que parler veut dire – Le langage 45
4. Moi, je… – La conscience 59
5. Libre comme l'air? – La liberté 71
6. Que dois-je faire? – Le devoir, la justice 83

Conclusion 95

« *Que personne, parce qu'il est jeune, ne tarde à philosopher, ni, parce qu'il est vieux, ne se lasse de philosopher; car personne n'entreprend ni trop tôt ni trop tard de garantir la santé de l'âme. Et celui qui dit que le temps de philosopher n'est pas encore venu, ou que ce temps est passé, est pareil à celui qui dit, en parlant du bonheur, que le temps n'est pas venu ou qu'il n'est plus là.* »

Épicure, *Lettre à Ménécée*

« *Se moquer de la philosophie,
c'est vraiment philosopher.* »

Blaise Pascal, *Pensées*

Introduction

La philosophie est un jeu, voilà un titre présentant une association bien déroutante. Pour beaucoup d'entre nous, en effet, cette discipline est dépourvue de toute dimension ludique. Bien au contraire, on pensera volontiers que ce n'est pas avec un philosophe qu'on va prendre du bon temps! Les lecteurs qui se souviennent vaguement de leurs cours de lycée ont peut-être encore en mémoire quelques traces ayant résisté à l'oubli: Platon et une histoire de prisonniers enchaînés dans une caverne, Épicure traitant du plaisir, Freud et la question de l'inconscient, Descartes et le «*cogito*» qui était censé les faire... cogiter! Peu de place pour le divertissement ou le jeu, en tout cas, dans ces classiques de l'histoire des idées, mais des concepts et des notions dont l'exposé a pu être parfois rébarbatif. Quant à ceux qui n'ont jamais fait de philosophie, ils en ont des représentations qui vont de la secte de rêveurs compulsifs à l'image du savant méditant sur le nombre de cailloux à partir duquel on peut parler de «tas»: question sans doute épineuse mais parfaitement futile.

Ce petit ouvrage a pour ambition de s'adresser indifféremment à toutes catégories de lecteurs, en essayant de montrer comment on peut entrer dans la réflexion philosophique de façon plaisante et par le jeu. Ainsi nous voudrions, contre l'évidence première, convaincre que la philosophie est en soi un jeu; le libre jeu de l'esprit s'interrogeant sur des objets qui constituent la trame de notre vie quotidienne, comme le désir, autrui, le bien et le mal, le beau, le vrai, la violence, les mots, etc. Pour cela, nul besoin d'érudition: si la philosophie est par essence un jeu, alors c'est presque un jeu d'enfant n'exigeant du sujet que de la bonne volonté et le désir d'y participer en « jouant le jeu ». Il ne faut donc pas confondre l'activité philosophique elle-même avec la connaissance des systèmes philosophiques conçus par un certain nombre de penseurs célèbres. Pour autant, ces deux relations à la philosophie ne sont pas contradictoires, parce que en lisant un philosophe, on peut découvrir des questions que nous ne parvenions pas à formuler précisément et enrichir notre propre pensée avec les concepts qu'il construit. Mais, comme le suggérait Emmanuel Kant, il est préférable d'apprendre à penser plutôt que d'apprendre des pensées, c'est-à-dire celles que d'autres ont formulées à notre place et que nous recevrions passivement comme des vérités éternelles. Le parti pris de ce livre est donc de vous inciter à philosopher en jouant, par vous-même, le jeu du questionnement philosophique. Bien sûr, vous apprendrez également des choses sur les grands systèmes philosophiques, mais cet ouvrage a été conçu pour que ce soit d'abord vous qui soyez en situation de réflexion, et que l'apport éventuel d'un philosophe ou d'une doctrine n'intervienne que dans un second moment. Dès lors, nous espérons que, si vous enrichissez votre culture philosophique, c'est surtout en philosophant vraiment que vous parcourrez ces lignes.

Christophe VERSELLE

1

Nous sommes tous des philosophes

Qu'est-ce que la philosophie?

Le langage courant tend à faire du mot philosophie un usage qui en appauvrit le sens ou nous égare sur la nature même de cette activité intellectuelle. Pour l'opinion, en effet, être philosophe se réduit souvent à faire preuve de patience et de détachement. On dira par exemple qu'il faut prendre les caprices de la météo « avec philosophie », mais la notion déborde heureusement cette acception limitée, comme nous allons tenter de le montrer au fil de ces chapitres. Par ailleurs, au-delà de cette réduction abusive, la philosophie et le philosophe souffrent d'une réputation qui ne plaide pas en leur faveur. On peut ainsi relever au moins trois griefs qui leur sont traditionnellement adressés :

a. *La philosophie nous éloigne du réel.*
On raconte que Thalès tomba un jour dans un puits à force d'avoir les yeux toujours rivés sur le ciel. Trop absorbé par sa réflexion et focalisé sur la voûte céleste, le savant ne vit même pas le trou qui s'ouvrait sous ses pieds. Cette histoire[1] alimente de façon plaisante l'idée selon laquelle le philosophe ou le sage vit en quelque sorte dans un autre monde et qu'il est en permanence « dans la lune ».

b. *Elle est trop complexe, jargonneuse et pinailleuse.*
Lorsque les philosophes parlent, on ne comprend rien. Leur vocabulaire est obscur, leurs idées bizarres, leur manière de penser torve. Ouvrez donc la *Critique de la raison pure*

---

1. L'anecdote est rapportée par Platon dans le *Théétète*, 174 a.

d'Emmanuel Kant et vous vous demanderez si vous avez bien une traduction française entre les mains. En outre, le philosophe a la réputation de couper le cheveu en quatre… et de surcroît, dans le sens de la longueur !

c. *Elle ne sert à rien, on peut fort bien en faire l'économie pour conduire sa vie.*
Entre le philosophe et le plombier, lequel peut vous servir au quotidien ? Essayez un peu d'appeler un philosophe pour déboucher un lavabo… Il va vous demander si l'idée de lavabo peut se boucher ou seulement son apparence sensible, vous dire que l'homme est un milieu entre rien (le trou du lavabo) et tout (le tas de cheveux dans le siphon), vous montrer que le lavabo est un loup pour l'homme. Pendant ce temps-là, vous vous laverez les dents dans l'évier de la cuisine.

On peut donc dire que ça commence mal…
Pourtant, même si l'on n'en exagérait pas le trait ici, ces trois reproches resteraient globalement infondés. S'il n'est pas impossible que des philosophes s'égarent dans des arrière-mondes ou des constructions théoriques abstraites, le fond de la réflexion philosophique reste, malgré tout, toujours ancré dans le réel : qu'est-ce qu'aimer ? vivre ? mourir ? désirer ? travailler ?, etc. Toutes ces choses sont très concrètes et renvoient immédiatement à des préoccupations communes. Nous allons tenter de le prouver en vous proposant un petit test qui, bien que sans prétention, permet de montrer que l'on peut se mettre à philosopher dans les situations les plus banales. Au terme de ce premier parcours, la construction d'une définition sera grandement facilitée.

Testez votre esprit philosophique

En guise d'« échauffement », voici un quiz conçu à partir de quelques questions simples : choisissez spontanément les réponses qui vous semblent les plus stimulantes, vous allez voir, c'est franchement évident. Comme nous venons de le constater, l'opinion courante assimile la philosophie à une activité d'érudits à la chevelure hirsute, employant un langage compliqué et mystérieux. Vous allez au contraire vous apercevoir que c'est d'abord dans la vie courante qu'on commence à philosopher et non sur les bancs de l'université. Dans les choses les plus banales, il peut y avoir une source de questionnement, et, à moins que vos préoccupations soient exclusivement déterminées par la sieste, la nourriture ou le football, vous comprendrez en faisant ce test que nous avons tous l'esprit philosophique. Il suffit juste de porter son regard sur le monde et sur soi, en prenant le temps de se détacher un instant des rapports que nous construisons habituellement sans y mettre de distance.

1. *Un train peut en cacher un autre*
Il est 11 h 45 et vous êtes dans le train. Alors que le départ est prévu pour 12 heures, vous vous voyez partir puisque le train d'à côté reste immobile tandis que le vôtre se déplace. Vous pensez :
a. Pour une fois, on part en avance, ça mériterait un reportage télé.
b. Le train sera moins bondé, tant mieux pour moi et tant pis pour les retardataires.
c. C'est bizarre qu'on parte si tôt, est-ce que c'est vraiment mon train qui bouge ?

2. *Tu m'étonnes!*
Vous visitez un zoo et, devant la cage des chimpanzés, un des singes vous fixe avec un regard troublant d'humanité. Vous pensez :
a. Honk ! Honk !
b. Tiens, on dirait ce chanteur grec dont j'ai oublié le nom...
c. Ce regard vous conduit à l'étonnement méditatif. Après tout, qu'est-ce qui nous sépare fondamentalement de cet animal si loin et si proche de nous à la fois ?

3. *En un rien de temps*
Hier, vous avez passé un moment extrêmement plaisant avec l'élu(e) de votre cœur. Le temps a passé si vite que, lorsqu'il a fallu vous séparer, vous aviez l'impression d'être à peine arrivé(e). Aujourd'hui, au bureau, vous devez assister à un «débriefing» de deux heures sur les exportations de stylos quatre couleurs et vous savez que le temps va être long. Vous vous dites :

a. Où faut-il que je me mette pour qu'on ne me voie pas bâiller ?

b. Je n'aurais pas dû choisir cette cravate, il y a une tache d'œuf dessus.

c. Le temps est bien mystérieux... Pourquoi ce que mesure ma montre n'est pas identique à ce que ma conscience en perçoit ? Où est donc la vérité du temps ? Dans ma montre ou dans ma conscience ?

4. *Je sais ce que je veux !*

Vous sortez du théâtre où l'on donnait une représentation du *Dom Juan* de Molière. Le spectacle vous inspire une réflexion :

a. Quel veinard, ce type... Dommage pour lui, ça se termine mal.

b. J'ai préféré *Karate Kid*.

c. Le désir est condamné à la démesure. À peine y a-t-on cédé qu'il se porte sur un nouvel objet et, finalement, on est toujours insatisfait.

5. *Abracadabra*

C'est l'hiver et il a gelé très fort pendant la nuit. Votre fils de quatre ans vous demande pourquoi vous avez vidé l'eau du bassin à poissons du jardin pour la remplacer par un gros morceau de verre tout froid.

a. Vous cherchez les coordonnées d'un bon pédopsychiatre.

b. Vous lui passez un épisode des *Teletubbies* parce qu'il est trop tôt pour faire de la physique.

c. Vous vous demandez comment vous savez, vous, que c'est bien de l'eau et qu'elle a simplement changé d'état.

Tout le monde est philosophe

Un constat s'impose après ces quelques exemples : nous avons tous l'esprit philosophique, il suffit juste de savoir le retrouver et de cultiver le goût du questionnement. Dès la première phrase du *Discours de la méthode*, Descartes écrit que « le bon sens est la chose du monde la mieux partagée », et c'est précisément parce que nous avons tous ce bon sens (la raison) en partage, que la philosophie, comme activité et non comme contenu d'érudition, nous est finalement si familière. Allons plus loin : des éléments d'histoire de la philosophie habitent notre paysage intellectuel collectif, sans que nous ayons forcément lu ou entendu parler des systèmes complexes dans lesquels ils s'inscrivent. Bien que ce soit parfois sans les comprendre vraiment que l'on sait citer tel ou tel penseur, une certaine forme de culture philosophique n'est donc pas si étrangère que cela aux prétendus « non-philosophes ». Le petit jeu suivant s'emploie à le démontrer : savoir qui a dit quoi n'a pas beaucoup d'importance ; ce qui est plus instructif est de constater que bien des citations proposées ici sont passées dans les références communes, comme autant de proverbes ou de maximes populaires.

Attribuez la bonne citation à son auteur :

1. « Je sais que je ne sais rien. »
❏ Socrate ❏ Malebranche ❏ Hegel

2. « Je pense, donc je suis. »
❏ Kant ❏ Hume ❏ Descartes

3. « La religion est l'opium du peuple. »
❏ Bergson ❏ Fichte ❏ Marx

4. « L'homme est un loup pour l'homme. »
❏ Merleau-Ponty ❏ Hobbes ❏ Bachelard

5. « Dieu est mort. »
❏ Nietzsche ❏ Spinoza ❏ Aristote

6. « L'enfer, c'est les autres. »
❏ Freud ❏ Sartre ❏ Heidegger

7. « L'homme est né libre et partout il est dans les fers. »
❏ Husserl ❏ Schopenhauer ❏ Rousseau

8. « Ne désire que ce qui dépend de toi. »
❏ Hume ❏ Épictète ❏ Leibniz

9. « Le cœur a ses raisons que la raison ne connaît point. »
❏ Pascal ❏ Montesquieu ❏ Kierkegaard

10. « La mort n'est rien pour nous. »

❑ Saint Augustin   ❑ Foucault   ❑ Épicure

Votre première bibliothèque philosophique

Il est toujours périlleux de proposer des ouvrages philosophiques qui peuvent initier le lecteur, l'aider à enrichir sa culture ou lui donner envie d'aller voir plus loin. En effet, le risque est de présenter des œuvres qui pourraient décevoir l'appétit au lieu de l'aiguiser : soit parce que les textes sont complexes, soit parce qu'ils posent des problèmes ne correspondant à aucune préoccupation personnelle. Nous ne saurions donc que trop conseiller de prendre cette liste avec toute la distance qui s'impose : elle n'a rien d'exhaustif et il faut y fouiller comme dans une malle aux trésors. Nous avons sélectionné ici une dizaine de titres qui nous semblent accessibles au néophyte. Prenez ce qui vous intéresse, commencez par des choses simples et familiarisez-vous ainsi par étapes avec l'écriture philosophique. Dans le petit jeu qui suit, nous vous proposons d'attribuer à chaque auteur l'ouvrage qu'il a effectivement écrit. Au milieu de propositions plus ou moins absurdes, vous devriez facilement vous y retrouver… Après cet exercice, un résumé vous aidera à faire vos choix de lecture en indiquant succinctement l'objet principal de chacun de ces grands classiques philosophiques.

Qu'ont-ils écrit ?

1. Platon
   ❑ *Mes recettes saveur*
   ❑ *Le Revers au ping-pong, trucs et astuces*
   ❑ *Apologie de Socrate*

2. Épicure
   ❑ *La Photo numérique*
   ❑ *Élever son labrador*
   ❑ *Lettre à Ménécée*

3. Épictète
   ❑ *Manuel*
   ❑ *Mes secrets de beauté*
   ❑ *Comment je suis devenu D.J. à Ibiza*

4. Machiavel
❏ *Le Prince*
❏ *Je décore ma maison*
❏ *La Cuisine bio*

5. Descartes
❏ *Les Plus Beaux Textes du rap tibétain*
❏ *Discours de la méthode*
❏ *Apprendre la natation synchronisée*

6. Rousseau
❏ *Bien choisir ses rollers*
❏ *Du contrat social*
❏ *Windows Vista pour les nuls*

7. Kant
❏ *L'Aérobic après 70 ans*
❏ *J'entretiens mon gazon*
❏ *Qu'est-ce que les Lumières?*

8. Nietzsche
❏ *Mes premiers pas de salsa*
❏ *La Généalogie de la morale*
❏ *Les Meilleures Tables nord-coréennes*

9. Freud
❏ *Je veux être Paris Hilton*
❏ *Malaise dans la culture*
❏ *Le Vatican: où s'amuser après 22 heures?*

10. Sartre
❏ *L'existentialisme est un humanisme*
❏ *L'Humour taliban*
❏ *Le Karaté sans peine*

Conclusion

Au terme de ce premier chapitre, nous pouvons revenir sur les reproches que nous avions initialement empruntés aux représentations courantes dont la philosophie est victime et, parfois, complice. Transformons donc les affirmations premières en questions:

a. *La philosophie nous éloigne-t-elle du réel ?*
Ce n'est pas la philosophie en elle-même qui peut nous
éloigner du monde mais seulement une certaine façon de
l'envisager. Bien au contraire, elle nous aide à mieux comprendre le monde et nous fournit des outils pour agir sur
lui. En dehors du récit de sa chute dans le puits, une autre
histoire est racontée au sujet de Thalès. Se servant de ses
connaissances en astronomie, il put prévoir une production
d'olives exceptionnellement abondante et loua un grand
nombre de pressoirs qu'il sous-loua ensuite en empochant
de généreuses commissions. Pour quelqu'un censé être en
permanence dans la lune, le savant fit preuve ici d'un solide
sens des affaires. Le philosophe n'est donc ni un ascète ni un
marginal, c'est simplement quelqu'un qui cherche à penser
par lui-même et qui s'efforce de déployer sa conscience vers
des horizons plus vastes que ce que la routine donne habituellement à percevoir.

b. *Est-elle trop complexe, jargonneuse et pinailleuse ?*
Nous l'avons vu : des questions philosophiques très pro-
fondes peuvent surgir à partir d'observations élémentaires.
C'est la confusion entre la nature du questionnement philosophique et la culture liée à l'histoire de la philosophie qui
entretient la représentation d'une complexité que les seuls
initiés pourraient dépasser. Quant au jargon pinailleur censé
caractériser l'activité philosophique, il s'agit d'une accusa-
tion souvent infondée qui néglige l'importance de mettre
les bons mots sur les choses. De même qu'un chimiste doit
savoir faire la différence entre un acide et une base, un
mécanicien entre une clé à molette et une clé anglaise, le
philosophe a besoin de concepts précis pour penser. Pour
ne prendre ici que quelques exemples, la justice n'est pas la
légalité, une erreur n'est pas la même chose qu'une illusion,
expliquer ne se réduit pas à comprendre, persuader diffère
de convaincre, ce qui est vraisemblable n'est pas forcément
vrai, une obligation n'est pas une contrainte.

c. *Peut-on dire qu'elle ne sert à rien ?*
Au quotidien, il est certain que l'on peut se passer de philosophie et, en matière d'immédiate utilité, le philosophe
doit avoir la modestie de reconnaître sa grande infériorité
par rapport à un lave-vaisselle ou un coupe-ongles. Pour
autant, et dans la mesure où il vaut mieux conduire sa vie

avec réflexion, l'activité philosophique nous aide à mieux saisir ce que nous sommes, où nous sommes et ce que nous devons faire. En l'occurrence, le rapport initial d'utilité s'inverse : ce n'est pas en lisant la notice de votre lave-vaisselle que vous saurez orienter votre existence.

Maintenant, à vous de jouer...

Réponses

Testez votre esprit philosophique

Vous l'aurez compris, ce petit test ne se prend évidemment pas au sérieux : il a simplement été l'occasion de présenter quelques questions liées au quotidien et dont l'exploration devient philosophique, pour peu qu'on tente d'aller voir plus loin que le bout de son nez. Si vous avez privilégié les réponses « c », c'est que vous avez été sensible à cette approche distanciée et que le monde, vous-même et les autres pouvez constituer des sources d'interrogations au lieu de n'être que des évidences jamais questionnées. Pour aller plus loin, voici une justification de la dimension philosophique de chaque proposition :

1. *Un train peut en cacher un autre*
Il s'agit là d'une expérience courante liée à la relativité du mouvement : croire que notre train se déplace alors que c'est celui d'à côté qui part. L'illusion est levée lorsqu'un point fixe situé à l'extérieur nous permet de constater qu'on reste immobile. Fonder nos jugements sur nos premières impressions sensibles est donc une source d'erreur et nous avons besoin d'autres référents pour guider nos idées. Pour extrapoler un peu à partir de cet exemple, avoir un esprit philosophique suppose de se distancier de l'opinion immédiate, la sienne ou celle des autres, pour chercher la vérité à partir de points fixes, comme notre voyageur se servira du quai comme référence objective. En philosophie, le point fixe dont on a besoin, c'est la raison[1] ou, comme le disait Descartes, « le bon sens ».

MORALITÉ : Philosopher, c'est chercher les bonnes raisons dans la Raison.

2. *Tu m'étonnes !*
L'étonnement est la première qualité du philosophe. Selon Aristote, il s'agit même du geste philosophique inaugural[2].

---

1. Nous entendons ici le mot *raison* dans le sens de « faculté de penser et de juger au moyen de liaisons intellectuelles rigoureuses ».
2. « C'est, en effet, l'étonnement qui poussa, comme aujourd'hui, les pre-

C'est cette capacité à avoir du recul sur les choses pour les interroger qui caractérise le mieux la disposition intellectuelle spontanée du sage. Celui qui est blasé du monde n'entre jamais dans la philosophie, puisque au fond le monde ne l'intéresse que comme objet de consommation et non de réflexion. D'une certaine façon, le philosophe a su garder l'enthousiasme de l'enfant dans ses opérations de questionnement, en ce sens qu'il partage avec lui le même désir de connaître. Bien des adultes ont perdu ce désir parce qu'ils se croient suffisamment savants, ou bien ils l'ont enfoui si profondément sous des considérations matérielles qu'ils ne savent plus s'interroger. Ils sont alors désabusés, indifférents ou considèrent que le fait de se poser trop de questions est une perte de temps. Pourtant, nous ne progressons qu'à la condition de cultiver ce désir et de maintenir toutes choses, y compris soi-même, dans une situation de questionnement potentiel.

MORALITÉ : Quand je prends un peu de recul sur moi et sur le monde, je commence à philosopher.

3. *En un rien de temps*
Par essence même, le temps a de quoi intriguer. Nous le mesurons de manière objective à l'aide d'instruments qui en découpent des portions de façon très précise. Parallèlement, le temps vécu par la conscience semble toujours en décalage par rapport à celui des montres et des horloges, puisqu'il s'allonge ou se contracte anarchiquement là où l'écoulement qui s'affiche sur un chronomètre présente au contraire une absolue régularité. La vie nous enseigne tous les jours que le temps vécu est différent du temps mesuré. Une minute de douleur affreuse peut sembler s'étirer jusqu'à l'éternité, tandis qu'un bonheur intense nous paraît toujours trop court. L'idée même qui sert à justifier le découpage du temps en segments d'heures, de minutes, de secondes est peut-être déjà une illusion puisqu'elle repose sur l'image d'un temps linéaire et homogène, la « flèche du temps ». Si nos instruments ne nous font pas connaître ce qu'est le temps, que mesurent-ils alors ? Faut-il considérer que la mesure du

---

miers penseurs aux spéculations philosophiques » (Aristote, *Métaphysique*, livre Alpha).

temps produit par elle-même ce qu'elle mesure, autrement dit, un simple artifice? Mais alors, qu'est-ce que le temps et où est-il s'il n'est pas dans ma montre?

MORALITÉ: Philosopher, c'est s'interroger sur la nature intime des choses.

4. *Je sais ce que je veux!*
Le désir est une expérience que nous avons tous en partage, par la souffrance qu'il occasionne lorsqu'il n'est pas comblé, ou bien à travers la déception qui suit un jour ou l'autre sa satisfaction. Depuis notre plus jeune âge, ce que nous croyons désirer n'est que la manifestation tronquée d'aspirations qui demeurent obscures. Nous ne savons jamais vraiment ce que nous désirons au-delà de l'objet qui, immédiatement, excite notre convoitise. Désirer revient donc nécessairement à ressentir le manque. Harpagon désire-t-il vraiment l'argent? Toute sa fortune ne lui sert à rien puisqu'il ne s'autorise jamais la moindre dépense. Dom Juan désire-t-il les femmes? Ce qu'il cherche n'est ni l'amour ni le sexe mais la volupté narcissique liée à la victoire de la séduction. Son désir n'est donc que désir du désir de l'autre. Spinoza disait que les hommes ne désirent pas une chose parce qu'ils la jugent bonne (utile, juste ou belle), mais ils la jugent bonne parce qu'ils la désirent[1]. Autrement dit, le désir n'est pas donné mais construit et c'est lui qui rend son objet désirable. Réfléchir sur la nature de ses propres désirs peut nous permettre de prendre conscience des causes qui les animent et accroître ainsi notre liberté.

MORALITÉ: Être philosophe, c'est aussi philosopher sur soi-même pour accéder à l'autonomie.

5. *Abracadabra*
Qu'est-ce que connaître un objet? Nos sensations immédiates nous permettent-elles de pénétrer ses propriétés et sa nature? D'un point de vue sensoriel, l'eau solide n'a plus rien de commun avec l'eau liquide, et si nous nous contentions d'un simple examen empirique[2], nous conclurions à

---

1. Spinoza, *Éthique*, troisième partie.
2. *Empirique* qualifie ici ce qui résulte d'une connaissance expérimentale fondée sur les informations sensorielles.

bon droit qu'il s'agit de deux matières différentes. Descartes avait pris un exemple limpide pour montrer que connaître un objet ne peut se limiter à ce que nos sens nous en disent. Un simple morceau de cire lui servit à faire une démonstration très convaincante dans les *Méditations métaphysiques*. La cire a une certaine apparence avant d'être passée à la flamme pour cacheter une enveloppe : elle est dure, son odeur est agréable, elle a une couleur, une saveur, etc. Mais une fois qu'on la fait fondre pour être marquée par le cachet, toutes ces propriétés changent. Il s'agit pourtant physiquement de la même cire et c'est une inspection de la raison qui nous l'assure, pas une exploration sensible au regard de laquelle il existe alors deux corps sans rien de commun. Connaître n'est donc pas simplement croire ce que nos sens nous donnent à voir, mais opérer un travail de la raison. C'est déjà là une attitude philosophique et une qualité nécessaire à l'esprit scientifique.

MORALITÉ : Être philosophe suppose de savoir faire preuve d'esprit critique, y compris en l'exerçant sur ses certitudes premières.

Tout le monde est philosophe

1. Socrate

« Je sais que je ne sais rien. »

Cette phrase[1] est un puissant paradoxe : comment Socrate, sage entre les sages, peut-il avouer ainsi l'étendue de son ignorance et la revendiquer ? En fait, c'est précisément cette conscience de son ignorance qui fonde toute sa sagesse puisque, pour accéder à la véritable science, il faut être en mesure d'admettre tout ce qu'on ne sait pas. Au contraire, comment celui qui se croit déjà savant peut-il apprendre quoi que ce soit ? Ignorant de son ignorance, il est condamné à demeurer dans l'illusion du pseudo-savoir dont il est incapable de mesurer l'inconsistance.

---

1. Platon en explicite le sens et l'origine dans l'*Apologie de Socrate*.

2. Descartes

« Je pense, donc je suis », dans le *Discours de la méthode*.

Il s'agit là de la formule la plus fameuse de Descartes et sans doute même de l'histoire de la philosophie. Elle est l'aboutissement d'un doute construit méthodiquement, afin de trouver une certitude qui puisse absolument résister à toute tentative de remise en question. Descartes doute donc de tout, jusqu'à ce que quelque chose qu'on ne peut soupçonner de fausseté ou d'illusion l'empêche de poursuivre dans cette voie. Or, qu'est-ce qui peut être véritablement indubitable ? Ni les informations de nos sens, ni l'enseignement reçu dans notre jeunesse, ni même les données de la science ne présentent ce caractère de résistance absolue au doute. Tout pourrait même être faux et nous tromper : peut-être prenons-nous nos rêves pour la réalité... Mais si c'était le cas, il y aurait au moins une chose qui serait indéfectiblement certaine : pendant que je pense que tout me trompe, il est impossible que je ne sois pas. Autrement dit, si je suppose que tout est faux, je pense ; et si je pense, c'est que je suis. Essayez de nier cette évidence, vous allez constater que c'est peine perdue : quand on s'imagine mort ou inexistant, on est encore en train de s'imaginer, et donc de penser. Ainsi, cette certitude ferme et définitive sert à la fois d'ancrage intellectuel et de modèle pour la recherche de la vérité. Grâce à elle, vous savez qu'il y a au moins une chose d'absolument sûre. Rassurant, non ?

3. Marx

« La religion est l'opium du peuple », dans la *Critique de la philosophie du droit de Hegel*.

Il s'agit là d'une analogie volontairement provocatrice de la part de Marx qui voit dans le phénomène religieux la manifestation d'une angoisse exploitée par les catégories dominantes. La croyance et son instrumentalisation sociopolitique permettent de maintenir les classes opprimées sous une domination spirituelle qui sert de relais à la domination économique. On déploie par son intermédiaire des valeurs qui conduisent les hommes à la résignation et à l'acceptation de leurs conditions de vie, notamment en promettant un au-delà meilleur et en faisant l'apologie d'une souffrance laborieuse expiatoire (« Tu travailleras à la sueur de ton front » [Genèse 3, 19]). Selon Marx, la religion a ainsi un effet comparable à celui de l'opium : elle anesthésie les volontés et aliène aussi les corps.

4. Hobbes

« L'homme est un loup pour l'homme », dans *Le Léviathan*.
Hobbes fait partie des théoriciens du politique qui considèrent que l'état naturel et spontané des relations humaines est la guerre de tous contre tous. Face à un environnement immédiatement hostile et confrontés à des ressources nécessairement limitées, les hommes sont des loups les uns pour les autres, c'est-à-dire des ennemis, des concurrents, des prédateurs. Pour que cet état conflictuel (qui n'autorise que la survie) cesse, il faut que chacun se soumette au pouvoir d'un souverain qui jouisse d'une autorité contraignante, obligeant chacun à renoncer à son propre pouvoir. C'est cela le Léviathan, le souverain ou l'État dont la puissance est telle que nul ne songerait à le défier sans craindre un sort terrible. C'est en particulier contre cette conception autoritariste du contrat social qu'un penseur comme Rousseau se dresse en proposant une tout autre lecture de la vie politique et des principes d'une association légitime et égalitaire.

5. Nietzsche

« Dieu est mort », dans *Ainsi parlait Zarathoustra*.
Sous la plume de Nietzsche, la mort de Dieu ne désigne pas la mort physique d'un être fait de chair mais la disparition progressive d'une idée qui hante l'humanité depuis l'aube de la pensée. Que la dissolution du divin soit un phénomène potentiellement terrible ou au contraire libérateur, elle constitue un événement capital, une rupture radicale dans les représentations du monde. Elle est terrible si les hommes se réfugient dans de nouvelles idoles de substitution (le nationalisme, le culte du progrès et de la raison, la foi aveugle dans la science, par exemple), libératrice s'ils sont capables de créer de nouvelles valeurs terrestres favorisant les forces de la vie, sans se référer à un être au-delà du monde. Si cette dernière attitude l'emporte, alors l'homme se rend également capable de faire advenir le « surhomme ». Il s'agit d'une figure métaphorique que l'on peut considérer comme le symbole du dépassement de soi vers une forme de liberté et d'auto-affirmation débarrassée du poids du cadavre de Dieu et de la morale chrétienne, susceptible de s'affranchir des valeurs mortifères qui affaiblissent la vie

(sanctification de la souffrance, glorification de la faiblesse, apologie de la soumission).

6. Sartre

« L'enfer, c'est les autres », dans *Huis clos*.

Il suffit d'avoir éprouvé une seule fois dans sa vie la pesanteur du regard de l'autre pour comprendre intuitivement cette phrase de Sartre. Dans l'épreuve de la honte par exemple, la présence d'une autre conscience a pour effet de me dissoudre totalement dans la situation embarrassante que je vis et de faire disparaître alors ma liberté. Sous ce rapport, je deviens une sorte de chose inséparable de son humiliation. Le chanteur qui oublie son texte en plein récital ou le général qui inspecte ses troupes et qui, trébuchant, s'étale de tout son long devant les soldats hilares sont des exemples qui montrent que la conscience d'autrui peut nous figer dans une figure dont nous ne pouvons plus sortir. Indépendamment même de ce genre d'expérience, l'autre a nécessairement une représentation de moi qui annule ma liberté en me solidifiant dans l'être que je suis pour lui (le gros, le dentiste, le Noir, par exemple). Ainsi, comme le dit Garcin, le personnage de *Huis clos* enfermé pour l'éternité dans une chambre en compagnie de deux femmes qui créent avec lui un triangle de regards au poids écrasant, l'enfer, ce n'est pas des flammes et des grils, l'enfer, c'est les autres.

7. Rousseau

« L'homme est né libre et partout il est dans les fers », dans *Du contrat social*.

Cette phrase – la première du *Contrat social* – pose la liberté comme la condition naturelle des hommes et dénonce immédiatement le scandale de leur condition sociale servile. En effet, partout dans le monde, l'homme vit dans un état contraire à sa nature puisque, où que l'on tourne le regard, il subit une servitude politique et sociale plus ou moins forte. Même ceux qui se croient libres parce qu'ils sont les tyrans des autres n'échappent pas à ce constat : le despote est toujours à la merci de la révolte de ceux qu'il opprime. Sa condition n'est ainsi paradoxalement pas moins précaire, ce qui le condamne à l'inquiétude. Le passage de l'état de nature à l'état social s'est donc payé du sacrifice de la liberté. Reste à savoir comment un contrat égalitaire et inspiré par la « volonté générale », c'est-à-dire la conscience du bien commun, peut légitimement permettre aux hommes d'accepter ce passage en y gagnant plus que ce qu'ils perdent. C'est tout l'objet de la réflexion de Rousseau.

8. Épictète

« Ne désire que ce qui dépend de toi », dans le *Manuel*.

Vous ne connaissez peut-être pas cette citation ni son auteur. En revanche, vous avez déjà entendu parler des stoïciens, ou du moins de l'adjectif qui est passé dans le langage courant et qui désigne l'impassibilité du sage face à la douleur qu'il affronte en restant « stoïque ». Le stoïcisme est essentiellement une méditation sur la condition humaine et sur la liberté. L'homme ne peut jamais atteindre la plénitude et l'ataraxie[1] tant qu'il poursuit des désirs inaccessibles ou cherche à fuir des objets qui ne dépendent pas de lui. Ainsi, la gloire, le pouvoir, la jeunesse échappent à ce que l'on peut contrôler, tout comme la maladie ou la mort. Au contraire, s'il parvient à cesser d'errer dans la quête de l'impossible ainsi que dans la crainte de ce sur quoi il n'a aucune prise, alors il accède à la véritable liberté : celle qui résulte de la connaissance de ce qui dépend de lui et ce qui n'en dépend pas et de l'apaisement qui suit l'acceptation de l'ordre du monde.

9. Pascal

« Le cœur a ses raisons que la raison ne connaît point », dans les *Pensées*.

Pascal présente ici les deux sources de nos jugements : la raison et le cœur. La raison désigne la pensée logique et discursive[2], c'est-à-dire celle qui pose des raisonnements qui se déduisent les uns des autres et s'enchaînent dans une continuité. C'est la raison qui nous fait connaître les causes et la nature d'un phénomène physique, par exemple. En parallèle de cette faculté, nous pensons également par un biais plus immédiat, intuitif et affectif : c'est ce que Pascal désigne comme relevant du « cœur ». C'est notamment par là que nous accédons à la foi et à Dieu. Dieu, dont l'existence est indémontrable par le raisonnement mais la certitude intimement gravée dans les profondeurs de notre chair et de

---

1. *Ataraxie* veut dire absence de troubles.
2. Ici, *discursif* signifie « qui procède selon la raison » (et non selon l'intuition).

notre sentiment, selon le philosophe. Dans cette perspective, la science est libérée de la religion, mais la religion se voit du même coup protégée des tentatives d'effraction opérées par les raisonnements et la logique.

10. Épicure

«La mort n'est rien pour nous», dans la *Lettre à Ménécée*.
Épicure et les épicuriens sont bien loin des images que l'opinion courante associe habituellement à leur nom. Au lieu d'encourager aveuglément toutes les formes de jouissances sensuelles, l'épicurisme est une recherche et une évaluation de ce qui assure l'absence durable de souffrance. Parmi les multiples causes de douleur morale, la crainte de la mort constitue une abondante source de tourments. Épicure s'emploie à en démontrer l'absurdité : la mort n'est rien pour nous parce que nous ne la rencontrons jamais vraiment. En effet, tant que je suis en vie, la mort n'est pas, et lorsqu'elle survient, c'est moi qui ne suis plus. Par conséquent, c'est un pur fantasme que nous craignons et l'un des buts de la philosophie est de nous en affranchir. Par ailleurs, puisque avec la mort cesse aussi la sensation et que toute douleur est nécessairement ressentie, il est donc impossible d'éprouver de la souffrance lorsqu'on est mort.

Votre première bibliothèque philosophique

1. *Apologie de Socrate*, Platon.

Platon reconstruit ici la plaidoirie que Socrate aurait opposée à ses accusateurs au cours du procès qui se solda par sa condamnation à mort. Jugé pour impiété et corruption de la jeunesse, le philosophe dut affronter certains de ses concitoyens irrités par sa manie de démontrer par le dialogue que ceux qui se croient les plus savants sont souvent les plus ignorants, y compris de manière très paradoxale, sur les questions dont ils sont censés être spécialistes : le magistrat sur la justice, le militaire sur le courage, le sophiste[1] sur la

---

1. Les sophistes étaient des maîtres de rhétorique enseignant l'art du discours et de la persuasion. Platon les présente comme sensibles aux honneurs et aux richesses et n'ayant aucun intérêt pour la vérité puisque seule compte pour eux la vraisemblance.

vertu et la politique, par exemple. On peut comprendre qu'à force de mettre ces soi-disant savants devant la pauvreté de leur prétendue science Socrate ait été perçu comme une menace dont il fallait se débarrasser. L'apologie que Platon fait de son maître permet de saisir les principes de sa philosophie.

2. *Lettre à Ménécée*, Épicure.
Dans ce texte court et très clair, Épicure présente les fondements de sa morale en s'appuyant notamment sur quatre remèdes aux troubles qui nous empêchent d'accéder au bonheur, lequel repose sur la capacité à se suffire à soi-même. Pour cela, il faut admettre que :
1. Les dieux ne sont pas à craindre.
2. La mort n'est rien pour nous.
3. Le plaisir est facile à obtenir lorsqu'il est réglé par la raison.
4. La douleur est supportable lorsqu'on sait faire preuve de patience.

3. *Manuel*, Épictète.
Philosophie de l'action pratique par excellence, le *Manuel* d'Épictète permet au lecteur de trouver des réponses extrêmement concrètes à la question de savoir comment conduire sa vie avec sagesse. L'essentiel passe par la reconnaissance et l'acceptation de ce qui dépend de nous et de ce qui nous échappe. Il est en effet capital de distinguer les deux afin de nous libérer de tout ce qui trouble généralement notre rapport à l'existence.

4. *Le Prince*, Machiavel.
Si la philosophie politique occulte parfois le réel sous des spéculations morales stériles, Machiavel est au contraire le penseur qui s'y réfère de façon systématique et sans faux-semblant. Son approche ne consiste pas à décrire ce que la politique devrait être mais à la prendre telle qu'elle est, avec le mal, la violence, l'injustice qu'elle sécrète par nature, parce que diriger un État suppose de choisir entre sauver son âme et sauver la cité. Cette œuvre magistrale n'a rien perdu de son actualité bien qu'elle ait été rédigée il y a plus de cinq siècles et elle offre de précieuses clés interprétatives pour comprendre l'essence du politique.

5. *Discours de la méthode*, Descartes.

À la fois récit d'un itinéraire philosophique personnel et guide pratique pour la recherche de la vérité, le *Discours de la méthode* ne s'adresse ni aux érudits ni aux savants mais à notre seul bon sens. Descartes y explique comment notre raison doit être dirigée avec ordre et rigueur pour éviter de sombrer dans les préjugés qui viennent généralement troubler nos jugements. Page après page, nous constatons avec plaisir que l'acte de connaître n'a rien de mystérieux et qu'il n'est pas réservé à une élite intellectuelle : la science est bien l'affaire de tous.

6. *Du contrat social*, Rousseau.

Là où Machiavel pense le fait politique dans sa réalité souvent cruelle et violente, Rousseau est le philosophe qui se place exclusivement du côté du droit. Il pose la question de savoir à quelles conditions les hommes doivent être unis dans une même communauté pour ne pas perdre ce qui fait leur essence et leur dignité : la liberté. Le modèle d'organisation politique dont les sociétés se dotent est toujours conventionnel, et sitôt qu'un système constitue une menace de despotisme, il perd toute légitimité. Les hommes ont donc le droit de l'abattre s'ils sont promis aux fers : la Révolution française sera le pendant historique concret de cette conviction philosophique.

7. *Qu'est-ce que les Lumières ?*, Kant.

Cet opuscule de quelques pages n'en est pas moins dense et profond par son contenu. Le mouvement intellectuel et philosophique des Lumières constitue un moment historique dont la plupart des gens connaissent au moins le nom, mais ce que l'on sait moins bien faire en général, c'est en définir les principes et les fins. Kant nous en propose ici une définition éclairante tout en nous exhortant à nous inscrire constamment dans le sillage de ce progrès de la Raison contre l'obscurantisme ou l'hétéronomie[1].

8. *La Généalogie de la morale*, Nietzsche.

D'où viennent nos valeurs morales ? À force de les avoir intégrées dans nos comportements depuis des générations,

---

1. L'*hétéronomie* est le contraire de l'*autonomie*, c'est-à-dire le fait d'agir sous une influence extérieure qui se substitue à notre propre volonté.

nous les prenons pour des vérités éternelles alors qu'elles ont une histoire, une généalogie. À la manière d'un archéologue exhumant les traces du passé pour mieux comprendre le présent, Nietzsche opère dans cette œuvre acide une critique du christianisme dont les idéaux éthiques ont corrompu les puissances de vie en les affaiblissant par le sentiment de culpabilité, la peur d'un châtiment éternel et une morale d'esclaves.

9. *Malaise dans la culture*, Freud.

À quel prix payons-nous le fait d'être « civilisés » ? L'homme a conquis son humanité en se séparant progressivement de l'animal par la culture et l'éducation. Mais cette distanciation s'est accompagnée de la nécessité d'un contrôle des pulsions induisant une impossibilité d'être heureux autrement que dans de brefs moments fragiles et fugaces. Par ailleurs, loin d'être une créature débonnaire et sensible à la souffrance de l'autre, l'être humain porte en lui des forces agressives et destructrices dont le déchaînement potentiel constitue une menace permanente. Sans concession sur nous-mêmes, cette œuvre nous aide à mieux comprendre la nature paradoxale de notre condition.

10. *L'existentialisme est un humanisme*, Sartre.

Il arrive parfois que nous disions « c'est dans ma nature », comme si ce que nous considérons comme notre essence nous contraignait à être ceci ou cela (coléreux ou impassible, courageux ou lâche, timide ou extraverti…). L'existentialisme est la philosophie qui s'oppose le plus radicalement à ce genre de conception dite « essentialiste ». Elle est l'affirmation vibrante de la liberté comme ouverture permanente vers un possible constamment renouvelé. L'homme n'est alors rien d'autre que ce qu'il fait de lui et, à moins de se réfugier dans la mauvaise foi, exister le projette perpétuellement hors de toute forme de détermination.

2

Toute la vérité, rien que la vérité

Qu'est-ce que la vérité ?

Chacun pense intuitivement savoir comment définir la vérité. Faire la différence avec ce qui est faux est alors chose facile... Mais, lorsqu'on essaye de construire une définition précise du vrai, l'affaire se complique et la redondance n'est pas loin : la vérité, c'est tout ce qui est vrai et, en conséquence, tout ce qui est vrai n'est pas faux. Nous voilà bien avancés !

On espère alors s'en sortir en établissant une identité entre la vérité et la réalité : tout ce qui est vrai est réel et inversement. Pourtant, cette affirmation ne convient pas davantage, car la vérité n'est pas la même chose que la réalité : un faux diamant n'est-il pas tout aussi réel qu'un vrai ? Nous devons alors admettre que le vrai n'est pas le réel parce qu'il ne suffit pas de dire que le diamant est en toc pour le voir disparaître ou changer d'état. La vérité réside en fait dans le jugement, c'est-à-dire la liaison valide ou non entre différents objets. Si je dis : *Les hommes sont des mammifères*, j'énonce une vérité, c'est-à-dire un jugement correct sur deux objets : un groupe (les hommes) et un prédicat ou une propriété que je lui attribue (l'appartenance à la catégorie des mammifères).

Du point de vue strictement formel, la vérité apparaît donc comme une liaison, valide ou pas, de concepts qui, en dehors d'elle, ne sont ni vrais ni faux, mais seulement réels. Ainsi, dans notre exemple, les hommes ne sont pas « vrais », ils sont réels ou non, de même que les lutins ou les fées. Dès lors, nous pouvons dire que c'est quand il y a adéquation entre ce qui est jugé et ce qui existe en dehors de ce jugement que la vérité est fondée et donnée[1]. Mais nous n'en avons pas terminé pour autant avec le questionnement philosophique. C'est même maintenant que les choses sérieuses commencent! Comment savons-nous que ce que nous disons ou pensons de la réalité est vrai? Quel degré de certitude pouvons-nous atteindre? Y a-t-il des jugements qui ne peuvent recevoir une valeur de vérité en raison de la spécificité de leurs objets? Plus généralement encore, y a-t-il une seule vérité pour toutes choses ou de simples représentations individuelles?

Pour examiner ces questions, nous allons nous appuyer sur des maximes, des adages ou des expressions populaires. À condition de les envisager avec un peu de recul critique, c'est là un excellent matériau pour la pensée et un bon support de jeu.

Sagesse populaire?

Parmi les énoncés suivants, sélectionnez l'interprétation qui vous semble philosophiquement la plus riche d'enseignements au sujet de la vérité.

1. « Je ne crois que ce que je vois. »
   a. Ray Charles a toujours cru qu'il jouait du biniou.
   b. À cause de son œil de verre, Jean-Marie Le Pen ne vit que dans 50 % du monde.
   c. Ce n'est pas si simple : voir n'est pas savoir.

2. « À chacun sa vérité. »
   a. Bill Clinton n'a fait que jouer au Scrabble avec Monica Lewinsky.
   b. Admettons… mais si chacun a sa vérité, alors il n'y a plus de vérité du tout.
   c. Ce que pense Loana au sujet de la physique quantique est aussi vrai que ce qu'en ont écrit Werner Heisenberg et Niels Bohr.

---

1. C'est là la définition classique que la philosophie médiévale donne de la vérité considérée comme *adaequatio rei et intellectus*, c'est-à-dire adéquation entre la chose et l'intellect, le réel et ce qu'on en pense.

3. « Une vérité qui se voit comme le nez au milieu de la figure. »
   a. L'évidence est un critère de vérité.
   b. Plus on a un gros nez, moins on peut dire de mensonges.
   c. La vérité, c'est comme un pic, un roc, un cap, voire une péninsule.

4. « Il n'y a que la vérité qui blesse. »
   a. La vérité est une arme de destruction massive.
   b. La vérité peut être difficile à supporter, on peut lui préférer l'illusion.
   c. On prendra soin d'avoir avec soi quelques pansements et autres bandages à chaque fois qu'on cherche la vérité.

5. « On doit parfois dévoiler la vérité. »
   a. La vérité est naturellement contre le port du tchador.
   b. La vérité peut être masquée sous des apparences qu'il faut dépasser, elle ne se donne pas forcément de manière immédiate. Elle peut aussi comporter des degrés.
   c. La vérité n'a aucune pudeur.

Forme et matière

Nous vous proposons maintenant un petit exercice qui va vous permettre de vous initier avec les règles de la logique et de mieux saisir la distinction que nous venons d'établir entre la forme et le contenu d'un énoncé. Nous vous présentons ci-après des syllogismes (du grec *sullogismos*, « démonstration »), c'est-à-dire des enchaînements de propositions qui aboutissent à une conclusion déduite de prémisses. Il existe plusieurs catégories de syllogismes. Ici, nous avons choisi une forme classique partant d'une prémisse dite « universelle positive » qui doit respecter l'emboîtement suivant :

Tous les A sont B, C est A, donc C est B.

À vous de vérifier si c'est le cas pour tous et de leur attribuer la bonne valeur.

Parmi les propositions suivantes, laquelle est matériellement vraie et formellement vraie (MV/FV)? Matériellement fausse et formellement fausse (MF/FF)? Matériellement fausse et formellement vraie (MF/FV)? Matériellement vraie et formellement fausse (MV/FF)?

Syllogisme	*Valeur de vérité*
Numéro 1 Tous les poulets sont astronautes Mon chien Sultan est astronaute Donc, mon chien est un poulet	❏ MV ❏ MF ❏ FV ❏ FF
Numéro 2 Tous les hommes sont mortels Socrate est un homme Donc, Socrate est mortel	❏ MV ❏ MF ❏ FV ❏ FF
Numéro 3 Tous les hommes sont des batraciens Les Français sont des hommes Donc, les Français sont des batraciens	❏ MV ❏ MF ❏ FV ❏ FF
Numéro 4 Tous les hommes sont des vertébrés Je suis un vertébré Donc, je suis un homme	❏ MV ❏ MF ❏ FV ❏ FF

« Dire la vérité »

Une des leçons à retenir de cette réflexion sur la logique, c'est que la vérité passe par l'ordre du discours et qu'elle est donc tributaire de son organisation et de sa forme. Si la réalité fait l'objet d'une perception et d'une conception, la vérité du jugement que l'on porte sur elle implique des mots pour la dire. Il est important de ne pas oublier qu'un discours peut nous tromper en ayant l'apparence d'une démonstration rigoureuse. On appelle « rhétorique » l'art de bien parler, et la maîtrise des techniques oratoires est évidemment un moyen de persuasion et de travestissement de la vérité des plus efficaces.

Dans *Sacré Graal*, le film des Monty Python (courez le voir au plus vite si vous ne voulez pas mourir idiot... à moins que cette œuvre ne vous encourage au contraire à le rester tant son humour est parfois délirant), il y a un moment très intéressant qui a toute sa place dans un ouvrage de philosophie. Il s'agit d'un dialogue entre le chevalier Bedevere et une bande de villageois stupides convaincus d'avoir capturé une sorcière qu'ils veulent brûler. Le sage Bedevere propose alors son arbitrage et s'appuie sur une logique pour le moins singulière :

LES VILLAGEOIS : Nous avons une sorcière, nous voulons la brûler !

BEDEVERE : Comment savez-vous que c'est une sorcière ?

LES VILLAGEOIS : Elle en a tout l'air !

BEDEVERE : Amenez-la-moi.

LA SUSPECTE : Je ne suis pas une sorcière !

BEDEVERE : Mais vous en avez l'apparence... *(les villageois lui ont mis une carotte sur le nez, une fausse verrue et un entonnoir sur la tête)*

BEDEVERE *(se retournant vers les villageois)* : En principe, que faites-vous des sorcières ?

LES VILLAGEOIS : On les brûle !

BEDEVERE : En dehors des sorcières, que brûlez-vous ?

LES VILLAGEOIS : D'autres sorcières !... Et le bois.

BEDEVERE : Donc, pourquoi les sorcières brûlent-elles ?

LES VILLAGEOIS : Parce qu'elles sont en bois !

BEDEVERE : Très bien ! Comment savoir si elle est en bois ?

LES VILLAGEOIS : En s'en servant pour faire un pont !

BEDEVERE : Mais n'existe-t-il pas de pont en pierre ?

LES VILLAGEOIS *(déconcertés)* : Ah... Oui...

BEDEVERE : Est-ce que le bois coule dans l'eau ?

LES VILLAGEOIS : Non, il flotte ! Jetons-la dans la mare !

BEDEVERE : Qu'est-ce qui flotte aussi dans l'eau ?

LES VILLAGEOIS *(très excités)* : Du pain !... Des pommes !... De la sauce blanche !... Les canards !

BEDEVERE : Les canards... Exactement ! c'est irréfutable ! Si elle pèse le même poids qu'un canard, elle est en bois et par voie de conséquence, c'est une sorcière.

Avec une démonstration si extravagante, tout devient potentiellement absurde. Toutefois, au-delà de la dimension burlesque de ce dialogue de fous, nous pouvons tirer un enseignement philosophique : sachons conserver une certaine distance critique vis-à-vis de ce que nous exprimons, mais aussi de ce que l'on nous dit, lorsqu'on prétend tenir un discours vrai. Pour vous exercer à débusquer, chez les autres mais aussi chez vous, les dérives sophistiques, nous vous proposons un exercice destiné à aiguiser votre esprit critique. On appelle sophisme un raisonnement qui est erroné mais qui se donne l'apparence de la vérité afin de gagner l'adhésion d'autrui. Il existe différentes formes de sophismes, dont vous trouverez des échantillons dans la liste ci-dessous. Vous aurez ensuite à les associer à l'exemple qui leur correspond dans la seconde liste.

1. *La généralisation abusive :* établir une loi générale à partir de quelques cas particuliers.
2. *Le faux dilemme :* enfermer un problème dans une seule alternative en occultant toute possibilité d'option différente.
3. *L'attaque contre la personne (ad hominem) :* on disqualifie les arguments de l'autre en discréditant sa personne.
4. *Argument d'autorité :* on accorde a priori du crédit à une position en raison de la notoriété ou de la fonction de celui qui la formule.
5. *L'absence de preuve :* une idée est vraie dès lors que rien ne démontre qu'elle est fausse.
6. *La causalité imaginaire :* on établit arbitrairement un lien entre deux phénomènes alors que rien ne le justifie.
7. *Le cercle vicieux* ou *la pétition de principe :* la conclusion d'une démonstration est présupposée dans les prémisses.
8. *La fausse analogie :* on construit illégitimement un rapport d'équivalence entre deux éléments qui sont comparés.
9. *Sophisme génétique ou naturaliste :* on passe d'un jugement de fait à un jugement de valeur.
10. *Métonymie :* on accorde à une partie la même propriété qu'au tout.

a. Cette faculté de médecine a formé les plus grands praticiens. Le docteur Tibia y a obtenu ses diplômes, c'est donc un bon médecin.

b. Rien ne prouve que les OGM sont mauvais pour la santé, c'est donc qu'ils sont bons.

c. Il y a des Juifs dans le monde de la finance. Tous les Juifs sont riches.

d. La majorité des gens meurent dans un lit. Le lit est donc la première cause de mortalité.

e. Ce ministre est mal placé pour parler des mesures à prendre pour le logement social, il habite un appartement de 200 mètres carrés.

f. Si Dieu n'existait pas, il serait imparfait. Or, il est parfait, donc Dieu existe.

g. Il y a eu très peu de femmes philosophes, scientifiques, politiciennes dans l'histoire. Elles sont moins douées que les hommes pour occuper ces fonctions et leur place naturelle reste purement domestique.

h. Cet enfant sera un cancre à l'école: tous ses frères et sœurs sont en échec scolaire.

i. Si le pape l'a dit, c'est que c'est vrai.

j. Soit vous soutenez les États-Unis dans leurs actions militaires, soit vous soutenez les terroristes.

Réponses

Sagesse populaire

1. c. Voir n'est pas savoir.

Ray Charles nous aurait sans doute pardonné ce trait d'humour irrévérencieux, et l'œil de verre de Jean-Marie Le Pen n'a (heureusement) pas le pouvoir de faire disparaître le réel. En revanche, cette expression courante véhicule une confusion sur la façon dont la vérité se révèle à nous. Il semble relever du bon sens qu'il ne faut croire que ce que l'on voit, mais c'est paradoxalement un conseil inapproprié. En effet, ce n'est pas parce qu'on observe un phénomène que celui-ci existe réellement en dehors de notre perception. Par exemple, quand je plonge un bâton dans l'eau, il m'apparaît brisé alors que c'est une illusion d'optique. Dès lors, fonder nos jugements sur ce que l'on perçoit a toutes les chances de nous conduire à l'erreur si c'est là notre seul point de référence. Ensuite, on constate que connaître la vérité implique très souvent une reconstruction intellectuelle, une enquête et pas uniquement un simple constat. Par exemple, la loi de l'attraction universelle qui stipule que les corps s'attirent en raison inverse du carré de leur distance et proportionnellement à leur masse n'a aucune « visibilité » immédiate. Mais elle a supposé de la part de Newton une modélisation théorique de la nature et des forces physiques qui l'ordonnent : contrairement à une image d'Épinal, il n'a donc pas suffi au savant de se prendre une pomme sur la tête pendant la sieste pour découvrir ce que personne avant lui n'avait su concevoir ni envisager. Enfin, la vérité peut parfois être directement opposée à ce que l'on voit immédiatement. Lorsque le Soleil se couche, nous avons l'impression que c'est lui qui bouge et que nous restons immobiles alors que c'est pourtant la Terre – et nous avec – qui se meut autour de lui.

2. b. Si chacun a sa vérité, alors il n'y a plus de vérité du tout.

Qu'importe si Bill Clinton est un petit polisson... Quant à Loana, il est probable qu'elle en sache autant que Steevy en mécanique quantique. En fait, ce qui pose problème dans cette phrase (« À chacun sa vérité »), c'est qu'une vérité qui serait relative aux individus impliquerait une contradiction incompatible avec ses conditions de possibilité. Par essence, en effet, la vérité ne se décrète pas, elle ne se décide pas, elle ne peut se démultiplier en autant de positions subjectives qu'il y a d'individus, mais elle s'impose à nous dans une unité. Penser que chacun a sa propre vérité, comme on dirait « chacun ses goûts », renvoie à ce qu'on appelle le « relativisme ». Le sophiste[1] Protagoras disait que « *l'homme est la mesure de toutes choses* » et il pensait à cet égard que c'était aux individus de déterminer les valeurs, les normes, les vérités qui leur étaient utiles. Mais alors, peut-on encore parler de vérité ? Quand deux choses sont contradictoires et qu'elles sont pourtant toutes les deux considérées comme vraies, on est conduit à l'absurdité. Un carré ne peut avoir plus ou moins de quatre côtés et ce n'est pas le géomètre qui le décide arbitrairement : il ne fait que rendre compte des propriétés de ce polygone. Dès lors, si chacun peut avoir son opinion, il n'en va pas de même de la vérité qui suppose l'universalité et la stabilité. Il existe des domaines dans lesquels cette exigence n'est pas possible à atteindre à moins de faire preuve d'un dangereux dogmatisme[2] : c'est notamment le cas pour les questions métaphysiques, c'est-à-dire celles qui échappent à toute expérience possible. Ainsi, nous ne pouvons savoir si Dieu existe, si l'âme survit au corps, si nous sommes totalement libres ou intégralement déterminés. Il faut donc faire la part des choses entre le savoir et la croyance ou la pure spéculation philosophique.

3. a. L'évidence est un critère de vérité.
Ni l'appendice nasal de Cyrano ni celui de Pinocchio ne sont concernés par cette formule. Ce qu'elle nous apprend, en revanche, c'est que certaines vérités relèvent d'une évidence incontestable. En latin, *evidentia* renvoie à la clarté et la visibilité. On peut parler d'évidence lorsqu'une proposition est totalement claire, sans confusion et non contradictoire. Par exemple, il est évident que le tout est plus grand que la partie, tout comme il est évident que le double de deux est quatre. Dans le chapitre précédent, nous avions évoqué

---

1. Ce terme est défini note 1, p. 28.
2. Le *dogmatisme* consiste à refuser par principe toute remise en question.

le cogito cartésien qui correspond lui aussi à une évidence absolue constituant alors un critère de vérité, puisqu'elle ne peut être niée sans tomber dans l'absurdité d'une contradiction. Mais l'évidence des vérités dont nous parlons ici ne concerne que des relations intellectuelles : celles qu'on établit entre des rapports, des quantités ou des concepts. Pour ce qui est du monde sensible, en revanche, il n'y a aucune évidence pure. Comme nous l'avons déjà constaté, en effet, rien de ce qui se « laisse voir » immédiatement par nos sensations ne correspond pleinement aux critères d'évidence que nous suggérons ici, puisque notre perception du monde est nécessairement sujette à imprécision et illusion.

4. b. La vérité peut être difficile à supporter, on peut lui préférer l'illusion.

Une trousse de premiers secours n'est pas nécessaire quand on cherche la vérité et celle-ci n'a rien de destructeur en elle-même. Il y a bien toutefois une certaine sagesse dans ce proverbe, mais il faut l'expliciter pour ne pas en restreindre le sens. La vérité n'est pas, par principe, douloureuse. En revanche, sa manifestation exige parfois de notre part une force morale et un courage intellectuel qui nous dissuadent de lui préférer l'illusion rassurante ou satisfaisante sur un plan narcissique. Dans *Ecce homo*[1], Nietzsche écrit que la question de savoir quelle quantité de vérité peut supporter et oser un esprit est le critère de sa valeur et il estime que certaines erreurs sont en réalité des symptômes de lâcheté. Dans le prolongement de cette pensée critique, Freud dira plus tard que l'ego des hommes a subi trois meurtrissures auxquelles ils ont d'abord tenté de trouver des échappatoires dans la dénégation plus ou moins violente : la fin du géocentrisme avec Copernic et Galilée, l'évolutionnisme avec Darwin et la perte du sentiment d'un empire absolu sur soi-même avec les théories psychanalytiques sur l'inconscient. Là où la croyance religieuse faisait de la Terre un centre immobile absolu nous laissant occuper une position privilégiée, l'héliocentrisme[2] nous ramène à la réalité d'un espace où nous n'avons aucune prééminence sur les autres corps célestes. De même, le récit que fait la Genèse de la

---

1. Nietzsche, *Ecce homo*, § 3 de l'avant-propos.
2. Le Soleil au centre du système.

création de l'homme par Dieu est réfuté par le fait que notre espèce est issue d'une histoire biologique nous contraignant à remonter à des formes moins flatteuses. Enfin, si «*le moi n'est pas maître dans sa propre maison*[1]», alors la dernière illusion qui nous restait concernant le libre arbitre disparaît à son tour. Dès lors, puisque la vérité peut faire mal ou déranger, l'accès à la connaissance implique de lever l'obstacle de ce qui ménage notre orgueil, console nos désirs et satisfait nos représentations.

5. b. La vérité peut être masquée sous des apparences qu'il faut dépasser, elle ne se donne pas forcément de manière immédiate. Elle peut aussi comporter des degrés.

C'est bien évidemment au sens figuré que cette formule («On doit parfois dévoiler la vérité») doit être envisagée. Ce qu'elle nous apprend, c'est que la vérité peut être masquée sous une écorce de vraisemblance ou des apparences trompeuses. Il faut par conséquent la «dé-voiler», exigence que la langue grecque permet de mieux saisir que la nôtre puisqu'elle désigne la vérité par le mot *aléthéia* qui signifie précisément «dévoilement». Le terme est formé du «a» privatif et du nom *Léthé* qui est à la fois la personnification de l'oubli et le fleuve de la mythologie où les âmes perdent le souvenir de leur vie antérieure avant d'habiter un nouveau corps. D'un point de vue plus prosaïque, si la vérité nous est voilée, c'est notamment parce que nous nous laissons abuser par nos sens ou nos habitudes, ou bien un défaut de méthode, par la paresse intellectuelle, le refuge dans l'opinion ou encore les délices de l'illusion. Son dévoilement requiert donc de la rigueur, de l'honnêteté et parfois, du courage.

Par ailleurs, la vérité comporte des degrés et il faut y distinguer les raisonnements qui sont vrais *formellement* de ceux qui le sont *matériellement*: ainsi, son dévoilement touche aussi bien sa forme que son contenu (comme on va le constater dans le prochain jeu consacré aux syllogismes). Une proposition qui est vraie formellement ne satisfait qu'aux règles de la logique sans pour autant énoncer quelque chose de valide sur le monde, elle n'est que l'accord de la pensée avec

---

1. Freud, *Essais de psychanalyse appliquée.*

elle-même. La vérité matérielle suppose quant à elle l'accord entre la pensée et les faits. Dévoiler la vérité, c'est donc aussi mettre au jour sa double nature, formelle et matérielle, ainsi que les conditions de son surgissement.

Forme et matière

Syllogisme numéro 1

Matériellement faux et formellement faux.
Du point de vue de la forme, l'énoncé viole le bon emboîtement de classes. Quant au contenu, il y a une triple absurdité immédiatement visible.

Syllogisme numéro 2

Matériellement vrai et formellement vrai.
C'est l'exemple classique que l'on retrouve généralement dans tous les cours d'introduction à la logique.

Syllogisme numéro 3

Matériellement faux et formellement vrai.
Ce cas est intéressant parce qu'il montre qu'on peut dire quelque chose de juste logiquement bien que cela soit erroné du point de vue de la réalité des objets visés. Même nos amis anglais seraient d'accord : pour eux, nous sommes des *frog-eaters*, mais ils ne nous réduisent pas encore aux batraciens dont nous dégustons parfois les cuisses.

Syllogisme numéro 4

Matériellement vrai et formellement faux.
Là aussi, un paradoxe pique la curiosité : on peut dire la vérité mais déroger à la logique. Remplacez le sujet « je » par « Félix le chat » et vous verrez immédiatement le problème…

« Dire la vérité »

1. c ; 2. j ; 3. e ; 4. i ; 5. b ; 6. d ; 7. f ; 8. h ; 9. g ; 10. a

3
Ce que parler veut dire

Le langage

En interrogeant la notion de vérité, nous avons pu découvrir ses liens au discours puisqu'elle implique un jugement qui est formulé par des mots, y compris lorsqu'il s'agit d'une simple pensée. En effet, penser implique de « tenir silencieusement un dialogue avec soi-même », comme l'écrivait Platon dans le *Théétète*[1]. Si vous essayez de penser sans les mots, vous constaterez que la tentative est vouée à l'échec, du moins si vous souhaitez que vos pensées soient claires et structurées. Le langage apparaît comme absolument indispensable, non seulement pour entrer en relation avec les autres, mais aussi avec le monde et avec soi-même. En témoigne cette révolution intérieure que constitue le moment où l'enfant accède au pouvoir de dire « je », plutôt que de se désigner par son seul prénom. Nous parlons, ou nous nous parlons à nous-mêmes quotidiennement, tant et si bien que l'usage du langage est généralement aussi spontané et familier que le fait de marcher pour se déplacer. Pourtant, le langage est un objet très curieux, à la fois commun et énigmatique. À ce titre, il ne peut que fasciner le philosophe qui en interroge la nature et les limites.

Ce sera une bonne entrée en matière que de découvrir par vous-même quelques-unes des problématiques que le langage recèle. Pour ce faire, reliez les constats suivants avec l'explication qui leur correspond le mieux. Vous aurez ainsi un aperçu des principales questions que l'on peut se poser à propos du langage.

---

1. Platon, *Théétète*, 190 a.

1. « Un film de Woody Allen s'apprécie mieux en version originale qu'en français. »
   a. Dans ce cas, on a le droit de demander un tarif réduit.
   b. Traduire, c'est toujours un peu trahir.
   c. C'est l'avantage des films albanais : il y a si peu de dialogues qu'on peut se contenter d'apprécier la musicalité de la langue.

2. « Mon chien me comprend quand je lui dis de donner la patte. »
   a. C'est normal, c'est le plus beau chienchien à sa mémère.
   b. Il réagit à un stimulus sonore mais comprend-il vraiment de la même façon que moi ?
   c. Le chien se substitue très bien au PACS et au mariage.

3. « On ne dit plus : "Palsambleu, manant, vous apprendrez céans ce qu'il en coûte de me chercher querelle !", mais : "Tu vas flipper grave ta race, bâtard !" »
   a. C'est trop de la balle de faire de la philo, ça me fait kiffer mortel.
   b. La langue évolue constamment, c'est ce qui fait qu'elle est vivante.
   c. Aujourd'hui on est moins poli, mais on est plus direct.

4. « Je n'arriverai jamais à faire connaître le goût de la papaye par sa seule description. »
   a. C'est trop acide comme fruit.
   b. « Papaye »… ce nom est complètement ridicule.
   c. Le pouvoir d'expression des mots reste limité par essence.

5. « Il parlait bien… alors je l'ai cru et j'ai voté pour lui. »
   a. Le langage est aussi un pouvoir.
   b. Les boules Quiès sont un instrument démocratique indispensable.
   c. Tous pourris !

6. « Nous n'avons même pas eu besoin de parler pour nous comprendre. »
   a. Pas la peine de chercher midi à quatorze heures, un SMS suffit.

b. On peut réussir à exprimer des choses sans les mots.

c. Un geste précis en dit toujours plus qu'un long discours. C'est ainsi que le majeur tendu est le signe de ralliement de nombreux automobilistes.

7. « Quand j'ai dit que ça me faisait une belle jambe, il ne fallait pas comprendre que je m'étais remis au vélo… »
a. On arrive aussi à ce résultat par l'épilation au laser.
b. Il est dangereux de parler aux cyclistes.
c. Une langue est un système complexe impliquant toujours un degré d'interprétation.

Appeler un chat un chat

« Il faut appeler un chat un chat », dit-on parfois. On emploie généralement cette expression pour montrer qu'on doit avoir le courage de « dire les choses telles qu'elles sont », sans détour ni verbiage inutile. Mais si on l'interroge davantage en extrapolant un peu, cette formule nous en apprend beaucoup plus sur la nature du langage et l'inévitable écart entre les mots et les choses.

Il ne s'agit pas simplement d'une tautologie[1] bien que le mot *chat* soit énoncé deux fois dans ce qui peut apparaître comme une répétition stérile : un chat, c'est un chat. On y perçoit en effet toute la distance entre le mot et ce qu'il désigne parce que, très paradoxalement, il y a bien deux chats différents dans la phrase, alors que deux termes identiques semblent pourtant être accolés. Pour employer une terminologie de la linguistique, il y a le chat comme *signifiant* et le chat comme *signifié*[2]. Dès lors, la maxime peut aussi s'énoncer de la façon suivante : « Il faut appeler le quadrupède qui fait miaou un chat. » Si la phrase est intéressante, c'est parce que l'on peut en tirer au moins trois leçons sur les mots et les choses en poursuivant par là même l'analyse philosophique du langage :

---

1. Un message est *tautologique* lorsqu'il dit deux fois la même chose. Exemple : « Ce papier blanc est blanc. »
2. Pour plus de détails sur ces termes fondamentaux, voir la fin du chapitre et les distinctions conceptuelles.

– D'abord, il faut appeler les choses par leur nom.
– Ensuite, le nom représente la chose sans que celle-ci s'y réduise pour autant.
– Enfin, nous commerçons finalement avec les mots plus qu'avec les choses.

Pour résumer ces trois idées, on peut affirmer que le mot *désigne*, *traduit* et *détermine* les choses pour nous. Un bref examen de chacune de ces propositions va permettre de poursuivre la problématisation, et de petits exercices pratiques stimuleront votre réflexion philosophique.

1. Le mot désigne une chose, *il la rend présente à l'esprit*, il est le signe qui lui correspond en nous renvoyant à elle. Appeler un chat un chat, c'est faire du chat qui n'est pas là au moment où je le désigne un être dont je peux parler puisque je lui donne une existence intellectuelle par le substantif qui lui correspond.

Pour parler de l'être ou de la chose « chat », j'ai donc besoin du mot, et sans lui je ne puis l'évoquer que vaguement et dans la confusion. Par conséquent, nous ne pouvons nous passer du langage et plus il est précis, mieux nous pensons et pouvons nous comprendre. Accroître son vocabulaire revient alors à élargir son champ de conscience et de perception du monde : les mots ne sont pas de simples artifices ni des accessoires, ils ouvrent notre horizon de compréhension.

Travaux pratiques :

Entre ces deux chirurgiens, lequel choisiriez-vous pour une opération ?
Chirurgien a. « Geneviève, passez-moi les metzenbaum, préparez un drain, ajoutez un demi-litre de physio et épongez-moi le front. »
Chirurgien b. « Dites donc, Machine, filez-moi la chose là... passez-moi le truc, remettez grosso modo du produit dans l'espèce de bazar et faites donc quelque chose pour éviter que je sois mouillé ! »

2. Le mot représente la chose, il la traduit en une image sonore. Cette idée de représentation nous apprend que *le mot n'est pas la chose* mais sa transcription verbale. Or, s'il faut aussi appeler un chat un chat, c'est parce que cette chose pourrait très bien s'appeler autrement et qu'il est nécessaire de se mettre d'accord sur un sens précis et fixe. Nous retrouvons ici l'un des enseignements de la linguistique : *l'arbitraire du signe*. À cause de cet arbitraire, la seule nécessité qu'il y a à appeler un chat un chat est d'ordre conventionnel et social. Cet animal pourrait très bien s'appeler « schmurz » ou « glorkz » si ces mots étaient apparus dans la langue française. Ce qui prouve ce caractère conventionnel, c'est tout simplement que notre chat devient *cat*, *gato* ou *Katze* selon la langue qui le désigne.

Travaux pratiques :

Essayez de trouver un seul mot qui vous semble avoir un lien de nécessité avec la chose qu'il désigne. Autrement dit, cherchez un exemple qui montre qu'une chose ne peut vraiment pas s'appeler autrement que par le nom qu'on lui donne parce que celui-ci lui serait naturellement adéquat. L'échec de cette tentative vous prouvera qu'il n'y a aucun lien de nécessité entre les mots et les choses. Même les onomatopées sont des conventions.

3. Si étrange que cela paraisse, nous sommes plus en rapport avec des mots qu'avec des choses et les mots déterminent de part en part notre rapport au monde : nous sommes en quelque sorte *condamnés au discours et au concept*. S'il faut appeler un chat un chat, c'est aussi parce que nous devons nous servir de concepts et non d'images pour penser et parler. Un concept est une idée générale élaborée à partir de caractères abstraits de différents individus ayant des éléments communs. « Chat » est un concept constitué par réunion de tout ce qui appartient à cette catégorie d'animal (félidé, quadrupède, mammifère, etc.). Mais, ce sont bien des concepts que nous convoquons mentalement et pas des images.

Travaux pratiques :

Représentez-vous mentalement l'image d'un triangle. Vous y arrivez, n'est-ce pas ? Vous trouvez même que c'est très facile... Essayez maintenant de faire de même avec un chiliogone (il s'agit d'une figure géométrique à mille côtés). Vous n'y arrivez pas ? Et pourtant, vous savez ce qu'est un chiliogone puisque nous venons de vous en définir le concept. Cet exemple est donné par Descartes dans les *Méditations métaphysiques* pour montrer la puissance de la conception par rapport à l'imagination.

Un monde de mots

Le fait qu'il y ait les mots d'un côté et le monde de l'autre ne doit pas nous faire oublier que notre langue n'est pas une simple copie de la réalité. En effet, loin d'être un calque, elle lui donne forme et le recompose par sa structure même.
C'est ce que montre André Martinet au début des *Éléments de linguistique générale*[1] en affirmant que pour *«chaque langue correspond une organisation particulière des données de l'expérience»*. Cela signifie que chaque langue organise «son» monde en le reconstruisant à travers son propre système. Martinet inverse le rapport traditionnel entre le mot et la chose. Là où nous pensons que les choses déterminent les mots, il se demande si ce ne sont pas les mots et le langage en général qui organisent notre perception et notre expérience. Le langage, en effet, ne se contente pas de prendre acte de la réalité, il la quadrille, la formate, la structure. À ce titre, il n'est pas seulement le résultat d'une production humaine, il est aussi producteur de ce que nous percevons. La conséquence majeure est que chaque langue induit une certaine vision de la réalité. Ainsi, le rapport au temps dans la grammaire, la gamme des couleurs, les noms des êtres sont le fruit d'une culture qui détermine notre conscience du monde. Par exemple, les Esquimaux ont une dizaine de termes pour qualifier les nuances de la neige là où nous dirions uniquement qu'elle est blanche. Si notre vocabulaire ne nous a jamais habitués à utiliser de telles subtilités chromatiques, alors elles échappent aussi partiellement à notre perception. C'est aussi pour cela que traduire un texte ou une pensée d'une langue à une autre ne peut se résumer à un simple déplacement ni à un changement d'étiquettes. *Traduire, c'est entrer dans une autre manière d'analyser le monde.*
Le lien complexe entre les mots et les choses trouve avec ces remarques sa pleine dimension. Il ne s'agit pas seulement de

---

1. Armand Colin, 2003 (l'ouvrage a été publié pour la première fois en 1970).

reconnaître que les mots ne sont pas les choses, mais d'envisager le fait que les mots et le langage en général constituent le monde qui nous entoure. Dans cette perspective, la leçon de choses est toujours une « leçon de mots ». Percevoir, raconter, remarquer, c'est rencontrer des choses qui n'ont déjà plus leur nudité originelle parce qu'elles sont qualifiées par une langue qui « métaphorise » au sens étymologique du terme. « Métaphore » vient du grec *metaphereïn* qui signifie littéralement « porter à côté ou ailleurs ». Les choses sont donc trans-portées et trans-formées dans le langage.

Combien d'ani-mots connaissez-vous ?

Pour confirmer ce travail systématique du langage sur le monde, un petit exercice de gloussement, piaillement, grognement et autres borborygmes va nous être utile. Si vous lisez à haute voix, assurez-vous d'abord que vous êtes seul, autrement votre entourage risque fort d'appeler les urgences psychiatriques.

Chaque langue traduit à sa façon les cris des animaux. Dans l'exercice suivant, rendez à chaque animal le cri qui correspond à sa « nationalité ». N'en déplaise à notre sentiment national, ce n'est pas par essence que le coq fait *cocorico* : notre langue a simplement traduit ainsi un son qui est restructuré différemment par chaque culture linguistique qui organise à sa façon les données de l'expérience, jusque dans les onomatopées.

POULE	1. Français 2. Anglais 3. Japonais 4. Espagnol 5. Allemand	a. *Ku-ku Ku-ku* b. *Cot-cot* c. *Cluck-cluck* d. *Gluck-gluck* e. *Coc-coc*
COQ	1. Français 2. Anglais 3. Japonais 4. Espagnol 5. Allemand	a. *Cock-a-doodle-doo* b. *Kikeriki* c. *Quiquiriqui* d. *Cocorico* e. *Ko-ke-kok-koo*

ÂNE	1. Français 2. Anglais 3. Japonais 4. Espagnol 5. Allemand	a. *Hi-Ho* b. *Iah-iah* c. *Hee-haw* d. *Hi-han* e. *Jii Joo*
CHIEN	1. Français 2. Anglais 3. Japonais 4. Espagnol 5. Allemand	a. *Arf-arf* b. *Wau-wau* c. *Kian-kian* d. *Houac guau* e. *Ouah-ouah*
COCHON	1. Français 2. Anglais 3. Japonais 4. Espagnol 5. Allemand	a. *Oink* b. *Groin* c. *Grunz* d. *Boo-boo* e. *Joink*

Un peu de distinction... conceptuelle !

Au terme de ce chapitre, vous devez être capable de saisir les différences entre la majorité des concepts suivants et, ainsi, de mieux penser la question du langage en ayant les bons mots pour en saisir la nature. Dans ce dernier exercice, mettez le terme qui convient à la bonne place dans la phrase.

1. *Langue* ou *parole* ?
Chacun d'entre nous s'empare de la **(a)** _____ dans une **(b)** _____ singulière qui contribue à la faire vivre et évoluer.

2. *Parler* ou *communiquer* ?
Par des gestes, des attitudes, des regards, on peut réussir à **(a)** _____ sans avoir forcément besoin de **(b)** _____.

3. *Signifiants* ou *signifiés* ?
Les mots *tree, Baum, arbol, arbre* sont des **(a)** _____ différents qui désignent pourtant un même **(b)** _____.

4. *Signe* ou *symbole* ?
La balance est un **(a)** _____ de la justice tandis que le panneau triangulaire avertissant d'un danger sur la route est un **(b)** _____.

5. *Ineffable* ou *indicible* ?
Une immense joie est **(a)** _____ tandis qu'une grande douleur est **(b)** _____.

6. *Dialogues* ou *conversations* ?
Dans la salle d'attente du dentiste, on a plutôt des **(a)** _____ que de véritables **(b)** _____.

7. *Persuader* ou *convaincre* ?
S'ils ne se laissent pas **(a)** _____ par des arguments, il faudra les **(b)** _____ par la peur ou la séduction.

Réponses

1. b.
On dit parfois que toute traduction est trahison. Sans aller aussi loin, il est vrai que le transfert d'un texte ou d'un discours d'une langue à une autre s'accompagne inéluctablement d'une certaine perte. En effet, traduire ne consiste pas simplement à substituer des mots comme on changerait d'étiquette : une langue, c'est aussi une vision du monde, une sonorité, un accent spécifique, des termes intraduisibles, une culture et une histoire.

2. b.
Suffit-il de communiquer pour s'installer véritablement dans un langage ? Peut-on tout réduire à un simple échange d'informations ? Les fourmis se comprennent très bien lorsqu'elles s'avisent mutuellement par les phéromones qu'elles laissent sur leur passage ou en frottant leurs antennes, mais est-ce comparable à ce que l'Homme est capable de faire avec des mots ? Créer, jouer, blesser, dialoguer, interpréter, abstraire, conceptualiser et même, faculté bien humaine s'il en est : parler pour ne rien dire !

3. b.
Une langue est vivante et s'enrichit constamment de l'apport d'autres langues et par sa propre néologie (création de mots nouveaux). Ce qui fait vivre la langue, c'est donc la parole ; leurs liens sont mutuellement nécessaires. La langue se parle sinon elle meurt, tandis que la parole qui n'est pas la propriété d'une langue n'a aucun sens. Il n'existe donc pas de langue vivante sans parole et pas de parole sans langue.

4. c.
Les mots ont un pouvoir d'expression limité. Il y a des choses que nous ne parvenons pas à dire ou à exprimer. Parfois, c'est la faute des mots eux-mêmes, parfois celle de celui qui parle et qui ne sait pas les trouver. La poésie est peut-être à sa façon une tentative de réduire la part d'indicible ou d'ineffable qui s'insinue toujours entre les mots et les choses.

5. a.
Le langage est aussi un moyen de séduction qui peut être redoutablement efficace pour qui en maîtrise toutes les

formes et les subtilités. Un discours persuasif peut donner l'impression d'être vrai alors qu'il n'est que vraisemblable ou qu'il maquille habilement les faits. S'il y a bien un domaine dans lequel cette faculté se déploie, c'est la politique où l'on sait bien que chaque mot compte autant que les voix qu'il permet d'engranger.

6. b.

Si tout porte à croire que seul le langage articulé, gestuel ou graphique est porteur de sens lorsque deux personnes veulent entrer en communication, il existe peut-être aussi une possibilité d'exprimer des choses par-delà, ou sans les mots. Dans certaines situations, le silence lui-même peut être expressif. Toutefois, cette autre forme de langage pour «dire» les choses est doublement limitée. D'une part, son pouvoir d'évocation est très restreint et d'autre part, il implique une telle latitude d'interprétation que le risque de méprise est particulièrement important.

7. c.

Que deux personnes qui ne parlent pas la même langue aient des difficultés à se comprendre mutuellement est bien naturel. Mais comment se fait-il que cela puisse aussi arriver entre deux individus qui s'expriment pourtant en français, par exemple? Une langue possède des registres, des niveaux, des tiroirs à métaphores qui rendent son usage plus complexe qu'il n'y paraît de prime abord, tout en favorisant les malentendus. Il s'agit là en même temps d'une qualité et d'un défaut. Une qualité dans la mesure où cette spécificité est une condition de richesse et d'élargissement de l'horizon sémantique et un défaut parce qu'on peut s'y égarer jusqu'à ne plus savoir ce que l'on dit.

Combien d'ani-mots connaissez-vous?

La poule: **1-b**; **2-c**; **3-a**; **4-e**; **5-d**
Le coq: **1-d**; **2-a**; **3-e**; **4-c**; **5-b**
L'âne: **1-d**; **2-c**; **3-a**; **4-e**; **5-b**
Le chien: **1-e**; **2-a**; **3-c**; **4-d**; **5-b**
Le cochon: **1-b**; **2-a**; **3-d**; **4-e**; **5-c**

Un peu de distinction... conceptuelle !

1. (a) langue, (b) parole
La parole est le sous-ensemble singulier de la langue, et la langue un sous-ensemble du langage. Une langue est un système de communication qui peut être gestuel, graphique ou verbal. La langue est collective tandis que la parole est individuelle et se démultiplie en autant de formes qu'il y a d'individus.

2. (a) communiquer, (b) parler
Parler et communiquer sont deux choses différentes. Cette distinction est notamment importante pour saisir la spécificité du langage humain qui ne se limite pas à un simple échange d'informations. Deux animaux peuvent communiquer et nous pouvons communiquer avec un animal, mais tout ceci est sans commune mesure avec ce que notre langue nous permet de faire, même si, par anthropomorphisme[1], il est tentant de croire que les animaux parlent « comme nous ». Pour résumer l'essentiel des arguments qui témoignent de l'abîme qui sépare l'homme et l'animal du point de vue de ce qu'ils sont capables d'exprimer, on retiendra en particulier les éléments suivants :

- Chez les animaux, le message est immédiatement compréhensible, il ne suppose pas d'interprétation. Il n'existe pas de quiproquos dans l'univers des chimpanzés...
- Le langage humain subit une évolution permanente, celui de l'animal est statique. Les chiens d'aujourd'hui communiquent de la même façon qu'il y a dix mille ans.
- L'Homme est le seul qui soit capable de penser son propre langage. C'est ce qu'on appelle la fonction *métalinguistique*, celle qui nous permet de dire « *je* est un pronom », par exemple.
- Il n'y a que l'Homme qui soit capable de poser des abstractions comme « demain », « l'âme » ou le « possible ». Par ailleurs, l'animal est, y compris pour des grands singes à qui l'on tente d'apprendre un langage évolué, dans

---

1. L'*anthropomorphisme* est la tendance à se représenter toute réalité (par exemple, celle du monde animal) en lui attribuant des caractères propres à l'Homme.

l'injonction quasi systématique («donne-moi», «prends», «sors»…). *A contrario*, l'Homme est le plus souvent dans le déclaratif («j'aime lire le journal le matin»)[1].

– Le langage humain jouit d'une puissance symbolique et d'une richesse qui dépasse infiniment le code de communication des animaux. La poésie naît de cette corne d'abondance.

– Enfin, si les animaux parlaient comme nous, il faudrait leur accorder une pensée se rapprochant de la nôtre, ce qui ferait d'eux… des humains. Diderot raconte que le cardinal de Polignac fut si stupéfait de l'apparence humaine de l'orang-outang des Jardins du Roi qu'il déclara aussitôt: «Parle et je te baptise!» Le singe resta toutefois mutique.

3. (a) signifiants, (b) signifiés

Ces deux termes très importants sont inventés par le linguiste Saussure dans son *Cours de linguistique générale*[2]. Le signifiant désigne l'«image acoustique», la forme sonore associée au concept qui est une représentation mentale. Il est l'une des deux faces du signe linguistique; l'autre est le signifié, c'est-à-dire le concept ou la chose désigné par le signe. Il faut bien comprendre que cette double face forme cependant une unité non séparable: tout signe porteur de sens est constitué de ces deux éléments. En revanche, comme on l'a vu, le lien entre le signifiant et le signifié est arbitraire parce qu'il repose sur une convention et non un rapport naturel.

4. (a) symbole, (b) signe

Un signe est la marque d'une chose (*signum* en latin). La différence essentielle entre le signe et le symbole est que le lien qui unit le premier à son objet est totalement artificiel tandis qu'il y a une part de nécessité dans le second. Pour «faire signe» d'un sens interdit par exemple, le code de la route aurait très bien pu utiliser un panneau carré avec un triangle à l'intérieur. En revanche, une balance «ressem-

---

1. Voir notamment les travaux de l'éthologue J. Vauclair dans *L'Intelligence de l'animal*, nouvelle édition, Points Seuil, 1995.
2. Payot, 1979, édition critique de T. de Mauro (le cours a été publié pour la première fois en 1916).

ble » à l'idée de justice qu'elle symbolise plus adéquatement qu'une clé à molette...

5. (a) ineffable, (b) indicible
Philosophiquement, l'ineffable, c'est le vertige du haut : ce qui échappe aux mots parce que le bien que cela produit est impossible à exprimer. L'indicible renvoie davantage au vertige du bas, la limite des profondeurs : ce qui échappe aux mots parce que le mal que cela produit ne se laisse pas qualifier.

6. (a) conversations, (b) dialogues
Une conversation est un échange verbal spontané, sans autre finalité que le plaisir d'échanger ou la volonté de passer le temps comme dans le bavardage par exemple. Le dialogue est une forme de relation plus exigeante amenant chaque interlocuteur à présenter des arguments pour cheminer ensemble vers la vérité. C'était la forme de rapport philosophique privilégiée par Socrate.

7. (a) convaincre, (b) persuader
Bien qu'on les confonde souvent, convaincre et persuader sont philosophiquement opposés. La conviction suppose en effet deux conditions : d'une part, celui qui défend une idée doit lui-même être convaincu et, d'autre part, son discours et sa pensée ne doivent être relayés que par des arguments et un effort constant de la raison. Ces deux conditions ne sont pas remplies par la persuasion. Le seul but de celui qui cherche à persuader, c'est d'être vraisemblable et d'avoir le dernier mot, quitte à jouer sur la sensibilité, la flatterie, la peur ou la séduction...

4
Moi, je...

La conscience

Le questionnement sur le langage nous amène tout naturellement à aborder maintenant le problème de *celui* qui parle. Derrière les mots, il y a une conscience, un être pensant qui s'exprime. La parole nous constitue donc aussi comme sujet et ce statut détermine la conscience : *moi, je, soi, l'identité, l'ego, l'ipséité*... peu importe le terme de référence, être conscient c'est être un sujet et se savoir tel[1], mais ce savoir a ses limites.

«*Connais-toi toi-même*[2].» Qui n'a jamais entendu parler de la fameuse maxime que Socrate adopte comme devise philosophique? Ce que l'on connaît généralement moins, c'est la signification exacte qu'il lui attribue et le paradoxe fondamental qu'il y décèle. La connaissance de soi n'a pas ici la signification d'une introspection psychologique, elle est plus profondément condition de la sagesse parce que c'est elle qui nous permet de découvrir notre ignorance. En effet, sans cette prise de conscience, il nous est impossible d'accéder à la vraie science puisque nous nous considérons déjà comme savants. C'est ainsi que triomphe la plupart du temps l'opinion, apparence de savoir.

Mais, bien qu'il accorde effectivement une importance capitale à la connaissance de soi, Socrate y voit d'emblée

---

1. En latin, *cum scientia* veut dire «accompagné de savoir».
2. Voir le dialogue de Platon, *Charmide*, 164 d. Cette formule était inscrite au fronton du temple de Delphes dédié à Apollon. Elle incitait le visiteur à prendre la mesure de sa condition d'Homme par rapport à l'éminence de celle des dieux.

la source d'une contradiction proche de l'aporie[1] : toute connaissance doit avoir un objet différent d'elle-même, sous peine de s'enfermer dans un cercle. Or, le problème de l'injonction à se connaître est que l'objet de la connaissance devrait ici coïncider avec le sujet qui s'en empare, un peu comme une vision qui serait à la fois vision du monde et vision d'elle-même. Nous voilà sans doute en face du mystère même de la conscience : celui d'une entité complexe qui est conjointement présence au monde et présence à soi, tout en étant incapable d'échapper à la distance nécessaire instaurée par la réflexion. C'est ce que le langage saisit très bien dans les structures pronominales, lorsque nous disons par exemple : « *Je me sens bien.* » « Je » se prend alors lui-même comme objet, « me », mais il produit une dualité totalement artificielle car « je » et « me » sont ici une seule et même chose. Dès lors, quand « je » « me » pense, la conscience que j'ai de moi n'est pas une connaissance mais une tentative comparable à celle du voyageur qui court après l'horizon, sans se rendre compte que ce dernier se déplace nécessairement avec lui. Nous allons donc, nous aussi, essayer de courir après nous-mêmes pour interroger la nature de la conscience, ses attributs essentiels et les problèmes qu'elle renferme.

Dans ce chapitre, au lieu des quiz habituels, nous vous proposons de varier les plaisirs par une série de jeux en forme d'exercices très concrets qui vont vous permettre de faire de la philosophie d'une façon quasi « expérimentale ». Avec un peu de bonne volonté, vous aurez pour chaque situation une sorte d'expérience concrète de quelques-unes des questions que l'on peut se poser sur la conscience. Pour accompagner ces exercices et enrichir votre culture philosophique, une synthèse de la position d'un philosophe servira de matière à penser complémentaire.

Exercice numéro 1 : *Pschitt !*

Installez-vous confortablement, réduisez au maximum toutes les sources de « déconcentration » éventuelles. Ensuite, essayez d'arrêter totalement de penser, jusqu'à la disparition intégrale de votre conscience (l'auteur décline toute responsabilité en cas de réussite complète et irréversible de cet exercice).

---

1. Une *aporie* est un problème sans solution, une impasse.

Leçon :

Ici, je m'efforce de penser que je dois arrêter de penser, ou je pense que je ne pense pas, ou encore je pense que cet exercice est idiot… peu importe, je suis toujours en train de penser. Chercher à abolir volontairement la conscience, dans un acte de conscience, est donc une tentative insensée. Le propre du sujet conscient est d'être toujours présent à lui-même. En définitive, on n'échappe pas à sa conscience, lors même qu'on souhaiterait parfois qu'elle nous laisse en paix, en particulier dans certaines circonstances culpabilisantes par exemple, mais « elle », c'est nous. De cette impossibilité radicale de se saisir comme non-pensant ou non-existant naît aussi notre peur de disparaître qui repose sur une confusion : lorsque nous envisageons que nous sommes morts, c'est encore conscients que nous le faisons et par conséquent, seul *mourir* est pensable pour nous, mais pas la mort elle-même.

Ce qu'en pense un philosophe :

Emmanuel Kant (1724-1804)

Kant montre qu'il est dans la nature même de la conscience et de la pensée de ne pouvoir se supprimer par un acte intellectuel : essayer de s'imaginer comme n'étant plus relève d'une contradiction impossible à lever. En effet, au moment même où je tente de me saisir comme non-existant, je suis encore en train de penser. Dès lors, me dire que je ne suis pas n'a pas de sens puisque si c'était le cas, je ne pourrais tout simplement plus rien me représenter du tout. C'est sur cette contradiction que reposent essentiellement nos angoisses au sujet de la mort. Quand nous imaginons ce que nous devenons lorsqu'elle survient, nous avons des représentations qui nous terrorisent puisque nous nous représentons en quelque sorte comme « encore là » alors que nous sommes justement censés ne plus être. C'est ce qui fait que l'on craint, par exemple, de se retrouver enfermé dans une tombe ou bien que l'idée d'une crémation puisse nous être insupportable.

> « *La peur de la mort qui est naturelle à tous les hommes, même aux plus malheureux, et fût-ce au plus sage, n'est pas un frémissement d'horreur devant le fait de périr, mais comme le dit justement Montaigne,*

> *devant la pensée d'avoir péri (d'être mort) ; cette pensée,*
> *le candidat au suicide s'imagine l'avoir encore après la*
> *mort, puisque le cadavre qui n'est plus lui, il le pense*
> *comme soi-même plongé dans l'obscurité de la tombe*
> *ou n'importe où ailleurs. »*

Kant, *Anthropologie*
du point de vue pragmatique, 1798.

Exercice numéro 2 : *Boucan d'enfer*

Pour cet exercice, nous avons besoin d'une plage... Si vous n'en avez pas à proximité ou si la saison ne s'y prête pas, un parc ou un centre-ville suffisent, pourvu que l'endroit soit assez fréquenté. Allongé sur votre serviette de bain, laissez flotter votre attention vers la « rumeur du monde », c'est-à-dire tous les bruits qui vous environnent. Celui des vagues qui viennent s'échouer sur le sable, de la petite brise qui vous caresse le dos, des enfants qui jouent au loin (ou trop près), de vos voisins de bronzage qui discutent et laissent sonner leur mobile depuis plusieurs minutes, etc. De quoi prenez-vous alors conscience ?

Leçon :

La conscience est comme un phare qui projette un faisceau lumineux sur ses objets. Or, ce n'est pas parce que nous ne nous *apercevons* pas d'emblée de quelque chose que nous ne le *percevons* pas. Pour qu'une perception devienne « aperception », c'est-à-dire perception consciente et réfléchie, il faut que la conscience y porte toute son attention. Ainsi, il existe tout autour de nous des choses qui frappent effectivement nos sens sans pour autant qu'on les saisisse de manière réflexive. Cela ne signifie pas que ces perceptions n'existent pas : il suffit qu'on soit conduit à y être attentif pour qu'elles franchissent le seuil de la conscience en passant ainsi de l'obscurité à la clarté. Par exemple, dans l'exercice proposé, les vagues n'ont jamais cessé de venir lécher la plage pendant que votre attention était absorbée par autre chose. Leur bruit a bien pénétré vos sens, mais confusément. C'est une contention[1] de la conscience sur eux qui permet alors

---

1. La *contention* (d'esprit), c'est la tension des facultés intellectuelles appliquées à un objet.

de donner l'épaisseur nécessaire à leur apparition réfléchie. Notre conscience est donc, en permanence, habitée par des choses dont nous ne nous apercevons pas et elle y opère des sélections en fonction de ce qui nous est utile. Par ailleurs, une perception est elle-même composée de parties qui sont insaisissables individuellement.

Ce qu'en pense un philosophe :
Gottfried Wilhelm Leibniz (1646-1716)
Percevoir ne signifie pas nécessairement se rendre compte de tout ce que l'on perçoit. Par essence, la perception est une collecte d'informations sensibles. Cette idée se retrouve d'ailleurs dans l'étymologie latine *percipere* qui signifie « récolter, prendre ensemble, assembler ». Or, précisément, l'acte perceptif suppose que nous assemblions une collection de parties dans un tout. Ces parties, Leibniz les appelle des « petites perceptions » qui, additionnées les unes aux autres, forment une perception globale dont on s'aperçoit. Par exemple, le bruit d'une vague est le résultat d'une multitude de bruits plus subtils qui constituent le son que nous entendons. Or, pour percevoir ce son total de la vague, il faut bien percevoir chacun des bruits infinitésimaux qui le composent. Bien qu'on ne les aperçoive pas, ils sont donc cependant bel et bien perçus puisque sans eux, il n'y aurait que silence.

> « Il y a mille marques qui font juger qu'il y a à tout moment une infinité de perceptions en nous, mais sans aperception et sans réflexion, c'est-à-dire des changements dans l'âme même dont nous ne nous apercevons pas, parce que ces impressions sont ou trop petites et en trop grand nombre, ou trop unies, en sorte qu'elles n'ont rien d'assez distinguant prises à part ; mais jointes à d'autres, elles ne laissent pas de faire leur effet et de se faire sentir au moins confusément dans l'assemblage. »

Leibniz, *Nouveaux Essais
sur l'entendement humain*, préface, 1704.

Exercice numéro 3 : *C'est moi le patron ! (Pas si sûr...)*
À la fin d'une journée, prenez une feuille de papier. Divisez-la en deux colonnes. Dans la première, notez tout ce que

vous avez fait en pensant parfaitement maîtriser vos actions par des décisions claires et conscientes. Dans la seconde, écrivez – sans chercher à vous mentir – tout ce que vous avez fait ou ressenti sans vraiment savoir pourquoi. Par exemple, cette nuit, peut-être avez-vous fait un rêve totalement délirant ? Dans la journée, peut-être avez-vous oublié quelque chose d'important que vous deviez cependant absolument faire, ou dit quelque chose que vous ne vouliez pas dire, ou encore, avoir eu envie de rire ou de pleurer devant quelque chose d'extrêmement banal...

Leçon :

Dans l'exercice précédent, nous avons vu que notre conscience peut être habitée par des perceptions dont nous ne nous apercevons pas, à moins d'un effort de contention particulier activement dirigé vers elles. N'est-il pas possible aussi que des émotions et des désirs partagent cette caractéristique, tout en échappant systématiquement à nos tentatives de compréhension ? La vie psychique est plus obscure que ce que nous pouvons penser de prime abord et tout ce que nous croyons désirer, aimer, poursuivre ou fuir par un pouvoir arbitraire est le produit d'une structure mentale conflictuelle à laquelle nous n'avons pas accès, si ce n'est par des biais détournés.

Ce qu'en pense un philosophe :

Sigmund Freud (1856-1939)

Si Freud constitue un cas à part dans l'histoire de la philosophie, il faut pourtant bien le considérer aussi comme un philosophe au regard de ce que la psychanalyse a pu bouleverser dans nos représentations de l'Homme. La révolution freudienne consiste essentiellement à faire de la vie psychique un processus plus complexe que ce que les perspectives classiques laissaient supposer auparavant. La conscience n'est pas une sorte de bloc intégralement transparent et immédiatement visible pour le sujet, mais elle est structurée autour d'une dynamique de refoulements. Ces mécanismes impliquent son opacité et la nécessité de formuler l'hypothèse d'un inconscient pour expliquer certains de nos comportements et la formation de nos désirs. Rien de ce qui se passe dans l'inconscient n'est absurde : tout a une signification, mais nous ne la saisissons que de manière lacunaire et seule la cure analytique nous permet de recomposer ce sens caché, imperceptible sans la médiation du psychanalyste. Les lapsus[1], les actes manqués[2] et les rêves constituent à la fois les signes probants de l'existence de l'inconscient et les matériaux dont il faut s'emparer pour aider le moi à mieux comprendre les forces qui le déchirent. La psychanalyse apparaît dès lors non seulement comme un procédé d'investigation des processus psychiques, mais aussi comme une méthode de traitement des troubles névrotiques. Selon son créateur, elle est donc à la fois une connaissance et une thérapie.

> « *Les recherches psychanalytiques ont retrouvé certains caractères jusque-là insoupçonnés du psychisme inconscient et découvert quelques-unes des lois qui le régissent. Nous ne voulons pas dire par là que la notion de conscience ait perdu de sa valeur à nos yeux. Elle reste la seule lumière qui brille pour nous et nous guide dans les ténèbres de la vie psychique. Par suite de la nature particulière de notre connaissance, notre tâche scientifique dans le domaine de la psychologie consistera à traduire les processus inconscients en processus conscients pour combler ainsi les lacunes de notre perception consciente.* »

Freud, *Abrégé de psychanalyse*, 1940.

Exercice numéro 4: *Si ce n'est moi… c'est donc mon frère?*
Voici un exercice qui semble relever de l'évidence, tant le conseil est répété en maintes occasions, par exemple dans les émissions de télé-réalité: sois toi-même.
Mais est-ce si simple que cela et que signifie être soi?

Leçon:
Où est donc le fameux « soi » qui correspond à cette exhortation? Il y a au moins deux présupposés contestables dans

---

1. Un *lapsus* consiste à énoncer quelque chose qu'on ne voulait pas dire. Freud donne l'exemple d'un président qui « déclare la séance fermée » alors qu'il est censé l'ouvrir.
2. On parle d'*acte manqué* pour qualifier tout ce qui semble relever d'un échec, d'une maladresse ou d'un oubli mais qui porte la marque d'une activité de l'inconscient. Par exemple, casser sans le vouloir un objet auquel on tient, mais qui représente peut-être autre chose que ce que l'on croit.

la volonté « d'être soi ». Premièrement, il existerait un vrai soi, stable et, en quelque sorte, égal à lui-même en permanence. Il serait accessible à la conscience et caché par un faux soi, sorte de carapace sociale ou de construction artificielle reposant par exemple sur l'imitation de quelqu'un qui n'est pas nous. Deuxièmement, les autres qui nous donnent ce conseil sauraient, mieux que nous, qui nous sommes vraiment. Voici une anecdote qui révèle que même notre apparence extérieure peut faire l'objet d'un doute sur notre « vrai moi » dans le regard des autres : lors d'un concours de sosies organisé à Monte-Carlo, Charlie Chaplin se présente parmi les candidats. Il se classe troisième ! Finalement, on peut très bien rester soi-même pendant que les autres pensent que nous ne le sommes pas assez... Ce soi que nous voudrions parfois rester n'est pas saisissable.

Ce qu'en pense un philosophe :
David Hume (1711-1776)

Hume est un philosophe empiriste. Selon ce courant de pensée, toute notre connaissance procède et dérive de l'expérience. Or, comment connaissons-nous notre moi ? Précisément par la série d'expériences et de sensations à travers lesquelles nous nous saisissons nous-mêmes. Mais alors, peut-on poser une identité, un moi qui serait indépendant de cette succession d'expériences ? Hume répond par la négative : ce que nous appelons *moi* n'est qu'une abstraction. Ce que l'on connaît du moi, ce ne sont que des états : bonheur ou tristesse, plaisir ou douleur, amour ou haine, par exemple. Puisqu'il nous est impossible d'appréhender une quelconque identité subjective autrement que dans une perception particulière, le moi n'est qu'une fiction et une construction purement conceptuelle.

> « *Pour ma part, quand je pénètre le plus intimement dans ce que j'appelle moi, je bute toujours sur une perception particulière ou sur une autre, de chaud ou de froid, de lumière ou d'ombre, d'amour ou de haine, de douleur ou de plaisir. Je ne peux jamais me saisir, moi, en aucun moment sans une perception et je ne peux rien observer que la perception.* »

Hume, *Traité de la nature humaine*, 1740.

Exercice numéro 5: *Puisque c'est comme ça, je boude!*
Boudez! Ou plutôt, profitez de votre prochaine dispute avec
une personne proche pour vous rendre a posteriori conscient
de l'expérience de la bouderie (nous ne vous encourageons
toutefois pas à la provoquer intentionnellement!).

Leçon:
Que se passe-t-il lorsque nous boudons? Sommes-nous
déterminés à nous renfrogner et à ne plus parler à l'autre,
totalement malgré nous, ou bien est-ce que nous nous
construisons artificiellement un personnage? De ce point de
vue, une expression de la langue française est particulièrement intéressante: lorsque nous disons «faire la tête». Celui
qui «fait la tête» se fait littéralement une tête de fâché en
arborant un masque de bouderie. Il est amusant de constater ici que l'idée de fabrication de personnage rejoint étymologiquement la notion même de «personne» puisque, en
grec, *persona* désigne le masque de théâtre. Ayant conscience
qu'il boude, le sujet est nécessairement à distance de ce qu'il
éprouve et ne peut invoquer une quelconque nécessité pour
justifier l'impossibilité à sortir de cet état. Avoir conscience
de soi, c'est donc aussi ne pas coïncider avec ses états de
conscience au point de s'y figer: si je me saisis «boudant»,
c'est que je sais que je me suis constitué comme tel et que
je peux abandonner le masque. La preuve? Vous boudez
depuis une bonne demi-heure (en couple par exemple, la
bouderie suppose un «timing» très subtil et la sortie de bouderie également: assez pour que l'autre le saisisse mais pas
trop pour ne pas l'exaspérer non plus... il faut bien penser
à la réconciliation). Soudain, le téléphone sonne: un ami
que vous n'avez pas vu depuis longtemps vous appelle. Et
là, miracle, le masque tombe spontanément: vous riez, vous
évoquez le bon vieux temps, vous préparez une sortie pour
vous retrouver. Si vous étiez «boudant» comme une table
est une table, il ne vous serait pas possible de vous affranchir de cette condition.

Ce qu'en pense un philosophe:
Jean-Paul Sartre (1905-1980)
La nature même de la conscience, qui est un pouvoir de se
réfléchir, nous interdit de nous statufier dans un état ou
une situation, à moins de faire preuve de mauvaise foi. Le
propre de notre condition est d'*exister* avant d'être. C'est

ce que la célèbre formule résumant l'existentialisme nous permet de comprendre : « *L'existence précède l'essence* ». Étymologiquement, *existere* signifie « sortir de » et c'est bien ce qui caractérise la situation humaine, puisque nous sommes constamment projetés hors de toute définition ou tentative de réduction à une chose. Au contraire de l'existence humaine, en effet, les choses sont précédées d'un projet, d'une essence qui les enferme dans leur être : un marteau a été pensé pour réaliser une fonction avant d'être ce qu'il est et il n'est *que* ce pour quoi on l'a conçu. L'Homme, en revanche, n'est que ce qu'il fait par sa propre conduite et il est condamné à se renouveler. Il lui est donc impossible de se penser comme une chose ayant une nature définie. Par exemple, l'expression « je suis lâche » n'a pas de sens : nul ne peut « être lâche » comme un marteau est un marteau. « J'ai agi comme un lâche » est tout ce que je puis dire parce que j'aurais pu agir autrement et que, désormais, je peux décider de faire preuve de courage sans pour autant trouver dans cette décision de quoi constituer une nouvelle essence.

Dans une analyse célèbre, Sartre s'appuie sur l'observation d'un garçon de café. Il montre que, derrière un comportement qui semble faire de lui un être figé dans une fonction qui le définit, il joue en quelque sorte son propre rôle, sans y être réductible.

> « *Toute sa conduite nous semble un jeu. Il s'applique à enchaîner ses mouvements comme s'ils étaient des mécanismes se commandant les uns les autres, sa mimique et sa voix même semblent des mécanismes ; il se donne la prestesse et la rapidité impitoyable des choses. Il joue, il s'amuse. Mais à quoi donc joue-t-il ? Il ne faut pas l'observer longtemps pour s'en rendre compte : il joue à être garçon de café.* »

Sartre, *L'Être et le Néant*, 1943.

Exercice numéro 6 : *Avoir conscience ou conduire… faut-il choisir ?*

La prochaine fois que vous prendrez votre voiture, revenez mentalement sur le trajet parcouru une fois parvenu à destination et demandez-vous si votre conscience a totalement investi vos gestes.

Leçon :

Après avoir pris la route, il arrive parfois que nous soyons surpris d'être «déjà arrivés». Comment se fait-il que nous puissions avoir conduit pendant plusieurs kilomètres, mais tenu le volant sans être toujours «vraiment là»? Et par quel miracle n'avons-nous grillé aucun feu rouge ni envoyé notre véhicule dans le décor? À moins d'avoir une chance extraordinaire, il est évident que le mystère s'explique. La conscience n'investit pas également tous les gestes que nous accomplissons, et bon nombre de nos actions relèvent d'automatismes. Très paradoxalement, c'est parfois lorsque nous redevenons conscients de ce que nous faisons que ces gestes peuvent perdre de leur efficacité. Ainsi par exemple, le patineur rompu aux plus grandes compétitions peut-il perdre ses moyens et rater un exercice simple parce qu'il a soudain reconnu dans le public une personne qu'il voudrait impressionner. Alors, au lieu de laisser son corps opérer spontanément les mouvements répétés des centaines de fois, il les pense... et c'est là qu'il tombe.

Ce qu'en pense un philosophe :
Henri Bergson (1859-1941)
Bergson se demande ce qu'il arrive lorsqu'une de nos actions cesse de venir d'une attention de la conscience pour se transformer en automatisme. Il distingue alors la spontanéité et l'action «mécanique» qui, de proche en proche, se meut en une sorte de réflexe déserté par la pensée. La notion de spontanéité est ici à prendre au sens de ce qui vient vraiment de nous, dans une sorte de jaillissement créateur. En latin, *spontis* renvoie à la volonté libre et c'est bien grâce à cette faculté que nous sommes véritablement nous-mêmes : non pas au sens d'une identité psychologique figée dont il ne faudrait pas se détacher, sous peine d'être réduit à l'inauthenticité, mais en tant que capacité à agir par soi-même. Dès lors, même si elles peuvent paradoxalement être ainsi moins efficaces, il est important que nos actions ne soient pas totalement délaissées par la conscience : celle-ci nous permet en effet de faire des choix et d'exprimer notre liberté. Cette notion sera l'objet du prochain chapitre.

« *Quels sont, d'autre part, les moments où notre conscience atteint le plus de vivacité ? Ne sont-ce pas les moments de crise intérieure, où nous hésitons entre deux et plusieurs partis à prendre, où nous sentons que notre avenir sera ce que nous l'aurons fait ? Les variations d'intensité de notre conscience semblent donc bien correspondre à la somme plus ou moins considérable de choix ou, si vous voulez, de création, que nous distribuons sous notre conduite.* »

Bergson, *L'Énergie spirituelle*, 1919.

5

Libre comme l'air?

La liberté

Nous l'avons vu avec le dernier exercice proposé dans le chapitre précédent et l'analyse de Bergson: la conscience implique la possibilité de faire des choix. En effet, si je peux me représenter en train d'agir, si je suis capable de me saisir comme le sujet de mon action, je suis alors en mesure de sélectionner des voies différentes dans l'existence, en y imprimant ma volonté. Nous retrouvons ici ce qui caractérise la liberté, c'est-à-dire la possibilité d'opérer des choix reposant sur une action volontaire.

Nous pensons tous être libres et nous éprouvons cette liberté de façon intime. Le simple fait de s'interroger sur la liberté n'est-il pas d'ailleurs l'indice de son existence? En effet, si nous n'étions pas libres, au moins en pensées, nous ne nous demanderions même pas si c'est un état qui nous caractérise ou non. Même enfermés et privés de notre liberté de mouvement, nous sommes encore libres de penser ou de vouloir alors même que notre corps est entravé. Il semble même que la liberté soit avec le langage articulé l'un des critères qui nous distingue de l'animal, tout entier soumis à la pression de ses instincts. Ainsi, l'expression «remettre un animal en liberté» n'a de sens que sous le rapport du mouvement: on lui ôte les barreaux de sa cage, mais celle dans laquelle l'instinct l'enferme ne peut être ni ouverte ni détruite. Toutefois, compte tenu du poids des nombreux déterminismes qui pèsent sur nous (sociaux, linguistiques, culturels, psychologiques, physiologiques), on peut se demander si cette liberté qu'on croit posséder n'est pas purement illusoire et si ce qu'on prend pour un choix autonome ou une volonté indépendante n'est pas l'arbre qui cache la forêt de notre servitude.

Après tout, combien de prétendues décisions libres sont en réalité le fruit de l'habitude, du conformisme, de l'appartenance socioculturelle? Par exemple, choisit-on «librement» sa religion quand on a été élevé dans un milieu familial lui-même religieux? Combien de préférences, de goûts, de jugements même anodins nous appartiennent vraiment? Peut-on encore se considérer comme libres quand nous multiplions les découvertes laissant supposer que l'on est soumis à un réseau de déterminismes tous plus pesants les uns que les autres?

On peut tout au contraire croire que notre vie entière est dictée par des influences extérieures, jusque dans ses aspects les plus triviaux. Dans le même temps, il peut être commode de se réfugier dans la douceur du déterminisme plutôt que d'affirmer l'exigence de la liberté qui nous rend responsables de nos actes.

Liberté, j'écris ton nom

Ils ont tous parlé de la liberté, mais qui a dit quoi? Retrouvez l'auteur de chacune des citations suivantes. Un indice pour vous aider, parce que ce n'est pas facile: il n'y a pas que des philosophes dans les propositions. Une petite explication complémentaire illustre ensuite chaque formule.

1. «Renoncer à sa liberté, c'est renoncer à sa qualité d'homme.»
   a. Le yéti
   b. Florent Pagny
   c. Rousseau

L'Homme est, par essence, un être libre. Tout système, toute structure ou relation qui implique une destruction ou une négation de cette liberté essentielle repose sur une contradiction. Dans cette optique, l'idée d'une servitude volontaire est absurde: nul ne peut choisir ou aimer l'esclavage parce que cela revient à se nier soi-même.

2. «Aie le courage de te servir de ton propre entendement, voilà la devise des Lumières.»

a. Le patron d'EDF
b. Kant
c. Fabien Barthez

La liberté de pensée suppose que l'on ose franchir le pas de l'autonomie intellectuelle. Nous sommes responsables de notre propre incapacité à penser par nous-mêmes lorsque nous cédons à la tentation de laisser les autres le faire à notre place. C'est commode et confortable mais il s'agit d'une position lâche et servile.

3. « La liberté se connaît sans preuve, par la seule expérience que nous en avons. »
   a. Descartes
   b. La marquise de Pompadour
   c. Oussama Ben Laden

Nous pouvons chercher à nier notre liberté, mais celle-ci repose sur une certitude intime. Confrontés à un choix, et à moins de nous voiler la face, nous savons de manière certaine et intuitive qu'il nous est possible de décider librement de notre vie. La liberté ne se prouve pas, parce que dans ce cas on la réduirait à une situation alors qu'elle peut aussi relever de son contraire, mais elle s'*éprouve*.

4. « La liberté n'est pas un état naturel et immédiat, elle doit plutôt être acquise ou conquise par la médiation de l'éducation, du savoir et du vouloir. »
   a. George W. Bush
   b. Hegel
   c. Votre beau-frère

Même si l'on peut penser que la liberté nous caractérise en tant qu'Homme et qu'il s'agit d'un *état*, elle a besoin de se développer par l'action de la culture. Il ne suffit pas de dire que nous *naissons* libres, il faut aussi comprendre qu'on le *devient*. L'éducation joue ici un rôle capital.

5. « La vraie liberté, c'est pouvoir toute chose sur soi. »
   a. Joseph Staline
   b. Montaigne
   c. Michael Jackson

Il s'agit ici de comprendre que la liberté s'éprouve d'abord sur soi et pour soi avant même de se tourner vers le monde.

On nous recommande ici d'apprendre à nous maîtriser et, en particulier, d'avoir un empire sur nos passions.

6. « Jamais nous n'avons été plus libres que sous l'occupation allemande. »
  a. Le maréchal Pétain
  b. Karl Lagerfeld
  c. Sartre

Cette phrase paraît scandaleuse puisqu'elle repose sur une contradiction inacceptable moralement. En fait, il faut simplement comprendre que c'est précisément lorsque nous sommes confrontés à ses limites mêmes que nous éprouvons vraiment ce qu'est la liberté et le vertige existentiel qu'elle implique : sous l'Occupation, celui qui prend le parti de la collaboration ne peut s'inventer aucune excuse, il pose un choix qu'il doit assumer.

7. « Telle est cette liberté humaine que tous les hommes se vantent d'avoir et qui consiste en cela seul que les hommes sont conscients de leurs désirs et ignorants des causes qui les déterminent. »
  a. Spinoza
  b. Le mime Marceau
  c. Brad Pitt

Le philosophe ne nie pas ici l'autonomie humaine mais il lui donne le sens d'une « libre nécessité ». Il critique la croyance au libre arbitre qui relève de l'ignorance des causes qui nous déterminent : l'Homme n'est pas un empire dans un empire et il est soumis à un ordre naturel qu'il lui faut retrouver en prenant connaissance de ce qui est conforme à notre véritable essence rationnelle. Alors, il se détermine lui-même.

Sujet libre

Il arrive fréquemment que nous utilisions des notions sans véritablement les maîtriser. Mais comment comprendre quelque chose que l'on exprime confusément ? La notion de liberté n'échappe ni aux approximations dans l'expression ni aux erreurs de jugement : nous avons tôt fait de la confondre avec des manifestations qui en ont l'apparence sans pour autant exprimer son essence. De la même manière, il est nécessaire de savoir poser les bonnes distinctions conceptuelles et de connaître les grandes oppositions qui permettent de mieux se représenter ce que signifie «être libre». Est-ce que le caprice ou le bon plaisir s'apparentent véritablement à la liberté? Est-ce que l'existence d'un déterminisme éventuel dans nos actions a le même sens que la fatalité ou le destin? Qu'est-ce qui s'oppose à l'autonomie? L'exercice suivant va vous offrir la possibilité de maîtriser, par l'exemple, le sens des concepts. Pour chaque anecdote ou récit proposés, vous devrez trouver le terme qui définit le mieux la situation décrite. Entourez le mot approprié dans le tableau synthétique qui figure au bas de chaque exemple. À la fin, vous trouverez un éclairage complémentaire qui justifie toutes les réponses.

1. *Waterloo, morne plaine...*
Il s'agit très probablement d'une recomposition opportune de l'histoire, mais une légende célèbre veut que la défaite de Waterloo repose en partie sur un fait d'une banalité affligeante. Le 17 juin 1815, après avoir refoulé les Prussiens à Ligny, Napoléon décide d'envoyer trente mille hommes à leur poursuite. La troupe est commandée par le maréchal Grouchy qui fait halte le lendemain à vingt-cinq kilomètres du champ de bataille. Vers midi, il déguste des fraises à la terrasse d'une auberge lorsqu'il entend les premiers coups de canon. Pensant qu'il s'agit du tonnerre, il ne juge pas utile de rejoindre l'Empereur et préfère finir tranquillement de savourer ses fruits; après tout, un maréchal a bien le droit de s'offrir un petit plaisir.

Déterminisme	Acte gratuit	Autonomie	Caprice
Liberté extérieure	Fatalité	Liberté d'indifférence	Liberté intérieure

2. *Suicide, à chacun son mode d'emploi*
On pense généralement que le suicide est l'acte individualiste par excellence. Pourtant, depuis les travaux du sociologue Durkheim, on sait qu'il ne s'agit pas seulement d'une affaire privée mais aussi d'un fait social, c'est-à-dire d'une pratique dépendant d'un contexte collectif qui en structure les formes, les variations, la fréquence, etc. Autrement dit, alors qu'on croit que le suicide ne dépend que d'une décision arbitraire liée à un mal-être personnel, c'est une pratique en

tout point liée à un contexte social et économique qui a un effet contraignant. Durkheim a ainsi montré qu'on se suicide plus en début de semaine qu'à la fin, le jour que la nuit, quand on est un homme, quand on prend de l'âge, quand on est protestant, quand on vit dans un milieu rural, etc. Ces différences laissent penser que l'on peut être « conduit au suicide » en fonction de données sociales et qu'il est même possible d'opérer des prévisions statistiques.

Déterminisme	Acte gratuit	Autonomie	Caprice
Liberté extérieure	Fatalité	Liberté d'indifférence	Liberté intérieure

3. *À nous de vous faire préférer le train*
Dans le roman de Gide, *Les Caves du Vatican*, on assiste à la scène suivante : dans le train qui le conduit à Naples, Lafcadio est seul dans son compartiment avec Amédée Fleurissoire, passager inconnu de lui, qui ne lui inspire aucun sentiment particulier et le laisse parfaitement indifférent, au point qu'il fait semblant de dormir pour ne pas avoir à lui faire la conversation. Soudain, au moment où le vieil homme se lève pour regarder par la fenêtre, une pensée étrange s'empare de Lafcadio : et si je le poussais sur la voie ? Personne ne le saurait... Entraîné par cette idée absurde, il décide de laisser le destin de Fleurissoire au hasard d'un décompte morbide :
« *Si je puis compter jusqu'à douze, sans me presser, avant de voir dans la campagne quelque feu, le tapir est sauvé. Je commence : Une ; deux ; trois ; quatre ; (lentement ! lentement !) cinq ; six ; sept ; huit ; neuf... Dix, un feu !... »*
Alors, sans aucun mobile, il le précipite par la porte du train.

Déterminisme	Acte gratuit	Autonomie	Caprice
Liberté extérieure	Fatalité	Liberté d'indifférence	Liberté intérieure

4. *Ça lui fait une belle jambe !*
Le stoïcien Épictète était un esclave au service d'Épaphrodite, un homme particulièrement grossier, stupide et brutal. Les disciples du philosophe racontent qu'un jour Épaphrodite s'employa à le torturer en tordant sa jambe, jusqu'à la briser. Épictète n'aurait alors formulé aucune supplique et se serait contenté d'avertir son maître en lui disant : « Si tu

continues, tu vas me casser la jambe... Je t'avais prévenu, la voilà brisée. » Sa condition servile, pourtant très dure, et la soumission forcée au sadisme d'Épaphrodite ne lui ôtèrent donc ni sa sagesse, ni sa capacité à affirmer sa propre volonté et, en l'occurrence, le plus esclave des deux n'est pas celui qu'on croit.

| Déterminisme | Acte gratuit | Autonomie | Caprice |
| Liberté extérieure | Fatalité | Liberté d'indifférence | Liberté intérieure |

5. *Hi han !*

Même s'il ne le formule pas explicitement ainsi, on attribue généralement au philosophe médiéval Jean Buridan le paradoxe de l'âne dit « de Buridan ». Il s'agit d'imaginer ce que ferait un âne placé exactement à égale distance d'un picotin d'avoine et d'un point d'eau, alors qu'il a conjointement faim et soif, sans que l'un des deux besoins soit plus fort que l'autre. Alors, n'étant pas davantage poussé à aller vers l'avoine que l'abreuvoir, il se laisse mourir.

| Déterminisme | Acte gratuit | Autonomie | Caprice |
| Liberté extérieure | Fatalité | Liberté d'indifférence | Liberté intérieure |

6. *Un chasseur sachant chasser...*

Dans ses *Fables*, Ésope fait le récit[1] d'un drame qui vient briser la vie d'un vieil homme fortuné. Père d'un garçon passionné de chasse, il voit ce dernier périr sous les griffes d'un lion au cours d'un songe horrible qu'il interprète comme un présage. Faisant immédiatement le rapprochement avec la passion de son fils, il décide de l'enfermer dans une tour, de sorte qu'il ne risque plus d'être tué en chassant. Pour tromper son ennui et lui rappeler ce qu'il aime le plus au monde, il fait orner les murs de la tour de grandes fresques représentant des scènes de chasse. Mais bientôt, n'en pouvant plus de sa réclusion forcée, son fils, pris d'un accès de colère, se met à frapper le mur de la tour et s'en prend à l'image d'un lion qui lui fait face en hurlant : « Maudit sois-tu, c'est à cause de toi que je suis enfermé ici ! » Mais en déchargeant ainsi sa colère, une petite aiguille qui dépassait

---

1. *Le Fils et le lion peint.*

du mur lui pénètre sous un ongle, déclenche une fièvre, puis une septicémie. La funeste prophétie est ainsi réalisée.

| Déterminisme | Acte gratuit | Autonomie | Caprice |
| Liberté extérieure | Fatalité | Liberté d'indifférence | Liberté intérieure |

7. *Dents de sagesse*

Pour cette situation, inutile d'emprunter un exemple à l'histoire de la philosophie, l'histoire tout court ou la littérature. Vous êtes chez le dentiste et, tandis que vous vous apprêtez à lire un *Paris-Match* datant de 1988, vous entendez le hurlement métallique et froid de la roulette qui vous glace le sang. Pris d'une soudaine angoisse, vous réalisez que cet instrument de torture va bientôt se promener dans votre propre bouche. À deux doigts de prendre la fuite, vous vous ravisez et décidez de poursuivre votre lecture en attendant bravement votre tour, non sans percevoir quelques gouttes de sueur glisser le long de votre échine.

| Déterminisme | Acte gratuit | Autonomie | Caprice |
| Liberté extérieure | Fatalité | Liberté d'indifférence | Liberté intérieure |

8. *Un esclave déchaîné*

Le personnage de Spartacus fait partie de ces destinées hors du commun qui fascinent encore malgré le temps qui nous en sépare. Légionnaire, puis prisonnier de guerre et esclave, il est ensuite vendu à une école de gladiateurs. Il s'enfuit, puis, rejoint par d'autres esclaves et des indigents las de leur condition, il parvient à former une véritable armée et met en échec les troupes de Rome lancées à sa poursuite, jusqu'à ce qu'il soit tué, après avoir menacé l'existence même de l'Empire. Au plus fort de sa puissance militaire, cet homme parti de rien, natif d'un pays vaincu, enrôlé de force, esclave puis bête humaine vouée au divertissement du peuple, conduisit pourtant une armée forte de cent mille combattants en repoussant les limites de sa condition.

| Déterminisme | Acte gratuit | Autonomie | Caprice |
| Liberté extérieure | Fatalité | Liberté d'indifférence | Liberté intérieure |

Réponses

Liberté, j'écris ton nom

1. c : Rousseau, *Du contrat social*, Livre I, chapitre 4
2. b : Kant, *Qu'est-ce que les Lumières ?*
3. a : Descartes, *Principes de la philosophie*, I, 39
4. b : Hegel, *La Raison dans l'histoire*
5. b : Montaigne, *Essais*, III, 12
6. c : Sartre, *La République du silence*
7. a : Spinoza, *Lettre à Schuller*

Sujet libre

Pour vous aider à y voir clair dans ces définitions et distinctions, voici les réponses assorties d'un petit récapitulatif, exemple par exemple.

1. Caprice.

On peut croire manifester sa liberté en posant un acte inconsidéré dans un contexte qui le rend ridicule, inattendu ou inapproprié. Dans ce cas, il s'agit d'une illusion puisque, si la volonté semble se manifester, elle reste pourtant soumise à une impulsion ou à un caprice qui l'entrave. Par ailleurs, le caprice manifeste moins l'autonomie de la volonté que l'obscurité d'un désir qui se trompe d'objet. L'enfant qui se roule par terre devant la vitrine du magasin de jouets parce qu'il veut absolument le camion bleu qui y est exposé désire moins ce camion que mettre à l'épreuve l'autorité, l'amour... et la patience de ses parents. Dans notre exemple, Grouchy aurait mieux fait de se mettre à la fraisiculture qu'à la stratégie militaire.

2. Déterminisme.

Le déterminisme suppose que tout ce qui existe est conduit par une cause à laquelle on peut remonter en étudiant ses effets. Plus encore, la liaison entre les causes et les effets étant considérée comme nécessaire, on tire du déterminisme le principe qui nous permet de connaître la nature, c'est-à-dire l'ensemble des lois qui l'organisent et la rendent intelligible. Ainsi, par exemple, la conjugaison de l'attraction de la Lune et du Soleil détermine les marées et leurs coefficients. Étendu à l'action humaine, le déterminisme pose la question de la liberté : sommes-nous intégralement déterminés par des causes dont nous n'avons pas forcément conscience, ou bien échappons-nous par nature à cet ordre physique dont dépendent les phénomènes ? Dans l'exemple du suicide, il y aurait un déterminisme social qui permettrait d'expliquer et de prévoir en partie le phénomène. C'est à s'en suicider de dépit !

3. Acte gratuit.

L'idée d'un acte gratuit implique qu'une action puisse être totalement détachée d'une causalité extrinsèque et que ce soit l'arbitraire absolu du sujet qui prenne la décision, sans attendre quoi que ce soit de ce qu'il fait : ni gratification, ni honneur, ni sanction ou récrimination. Casser pour casser, être violent pour être violent, ou faire le bien juste pour faire le bien sont des actes dits « gratuits » qui ne sont pas censés être reliés à d'autres finalités qu'eux-mêmes. D'une certaine manière, dans cette catégorie, c'est l'absence de raison d'agir qui constituerait paradoxalement la raison d'agir. Il est facile de contester l'existence même de ce genre d'acte dans la mesure où le fait d'agir sans causes apparentes n'implique pas du tout qu'elles soient inexistantes : le sujet peut être totalement dominé par une causalité inconsciente ou des circonstances qu'il ne comprend pas. Au risque d'être complètement iconoclaste, il n'est pas impossible de dire que mère Teresa a peut-être préféré Calcutta à Saint-Tropez parce que entre les lépreux indiens et les soirées mousse au *Macumba*, il y avait une voie d'accès plus assurée pour le ciel.

4. Liberté intérieure.

La liberté intérieure est censée ne jamais pouvoir nous quitter parce qu'elle est celle de la pensée. On peut bien être jeté en prison ou torturé, le pouvoir que nous confère cette liberté nous place potentiellement au-dessus de toutes les formes possibles de servitude. Dans son *Traité sur le bonheur*, le philosophe Plotin disait que le vrai sage rivalise avec les dieux par sa capacité à atteindre la félicité. Il ajoutait qu'il serait encore heureux et libre dans le taureau de Phalaris, une statue creuse d'airain au cœur de laquelle on plongeait des suppliciés dans le feu. Quand on pense que se cogner le petit orteil lorsqu'on est pieds nus peut déjà nous arracher des cris de dément, on se dit que la liberté et la félicité du sage, ça ne doit pas être facile à acquérir...

5. Liberté d'indifférence.

La liberté d'indifférence repose sur une indétermination de la volonté : le sujet n'est pas poussé à choisir telle voie plutôt que telle autre et sa raison ne le guide pas dans ses choix qui sont laissés au hasard ou à l'impulsion passionnelle. Pour Descartes, cette forme est le plus bas degré de la liberté. Dans la quatrième Méditation, il écrit :

« *Cette indifférence que je sens, lorsque je ne suis point emporté vers un côté plutôt que vers un autre par le poids d'aucune raison, est le plus bas degré de la liberté, et fait plutôt paraître un défaut dans la connaissance, qu'une perfection dans la volonté, car si je connaissais toujours clairement ce qui est vrai et ce qui est bon, je ne serais jamais en peine de délibérer quel jugement et quel choix je devrais faire ; et ainsi je serais entièrement libre, sans jamais être indifférent*[1]. » Déterminer nos actions par la lumière de la connaissance est donc un moyen d'éviter les *âneries*.

6. Fatalité.

Comme dans toutes les histoires à structure oraculaire (c'est-à-dire qui reposent sur l'annonce d'un destin inéluctable[2]), la fable d'Ésope est fondée sur un paradoxe : le destin ou la fatalité s'accomplissent par là même où l'on tente pourtant de s'y soustraire. Autrement dit, c'est en essayant de conjurer le sort par tous les moyens que l'on réunit toutes les conditions de son avènement. Cette conception ruine totalement l'idée même de liberté dans la mesure où nulle action ne permet d'échapper à « ce qui est écrit », comme on le dit parfois. Le seul espace de liberté consisterait alors dans la résignation volontaire. Il ne faut pas confondre l'idée de destin avec celle de déterminisme : tandis que la première ne nous laisse aucune échappatoire, la seconde offre la possibilité d'agir grâce à la connaissance des causes. Par exemple, si l'on sait ce qui détermine réellement un désir, on peut

---

1. René Descartes, *Méditations métaphysiques*.
2. Voir par exemple *Œdipe roi* de Sophocle, *La vie est un songe* de Calderón et même, au cinéma, *Angel Heart* d'Alan Parker.

s'en libérer en travaillant sur sa source et non sur ses effets, mais encore faut-il en prendre clairement conscience.

7. Autonomie.

Être libre, ce n'est pas être capable de faire ce que l'on veut, sans discernement. C'est aussi faire ce que notre inclination première nous pousse à éviter ou à fuir. En grec, *autonomos* signifie «ce qui se gouverne selon ses propres lois». L'autonomie est donc la capacité d'un sujet à n'obéir qu'aux règles qu'il s'est prescrites lui-même. Ces règles doivent être le produit de notre activité rationnelle et non celui de nos désirs immédiats. Le contraire de l'autonomie est l'hétéronomie, c'est-à-dire la soumission à une autorité extérieure ruinant notre liberté (les passions, la force, la sujétion intellectuelle, par exemple). Moralité: plus vous êtes autonome, moins vous avez de caries.

8. Liberté extérieure.

On parle de liberté extérieure pour désigner celle qui nous permet d'agir sur le monde en repoussant toutes les barrières qui entravent nos actions. Il peut s'agir d'obstacles sociaux, culturels, économiques, politiques. À l'inverse de la liberté intérieure qui a été évoquée en lien avec le stoïcisme, il ne s'agit pas de celle qui nous conduit à nous détacher du contexte et de l'ordre du monde, mais de celle qui nous permet de changer cet ordre en y imprimant notre volonté malgré tout ce qui nous en empêche initialement. Les deux formes sont liées, mais la liberté intérieure concerne le rapport à soi et la liberté extérieure le rapport au monde.

6

Que dois-je faire ?

Le devoir, la justice

« Je ne vois dans tout animal qu'une machine ingé-
nieuse à qui la nature a donné des sens pour se remon-
ter elle-même et pour se garantir, jusqu'à un certain
point, de tout ce qui tend à la détruire ou à la déranger.
J'aperçois les mêmes choses dans la machine humaine
à cette différence près que la nature fait tout dans les
opérations de la bête alors que l'homme concourt aux
siennes en qualité d'agent libre. »

En écrivant ces lignes dans le *Discours sur l'origine de l'iné-*
galité, Rousseau met en évidence la spécificité de l'Homme
par rapport à l'animal. Seul l'Homme est capable de faire
preuve de liberté dans ses actions, tandis que l'animal reste
soumis à l'empire de ses instincts, ce qui ne lui laisse pas la
possibilité d'agir autrement que selon cette « programma-
tion naturelle ». Incapables de décider de leurs actes par une
délibération intérieure, les animaux ne peuvent donc être ni
loués ni blâmés pour ce qu'ils font. Il n'y a de bonté ou de
cruauté chez eux que dans notre regard leur prêtant artificiellement des intentions qu'ils ne sauraient avoir.

Par exemple, quand un chat pourtant rassasié semble
tuer gratuitement une souris pour « jouer », c'est un phénomène naturel qui s'exprime et non un désir sadique. En
revanche, si c'est un homme qui en réduit un autre à la servitude, qui s'emploie à répandre le mal ou la souffrance, ce
sont bien la liberté et la responsabilité qui sont à l'œuvre derrière ces choix. C'est d'ailleurs pour cela que seul l'Homme
peut faire preuve d'inhumanité et, si l'on est spontanément

tenté d'assimiler le geste inhumain au comportement d'un animal brutal, cette analogie n'est pas licite. Nous devons au contraire admettre comme l'un des paradoxes les plus étranges de notre condition que l'inhumain n'est pas le produit de l'animalité mais bien de notre humanité. Ainsi, l'action réellement inhumaine, celle qui conduit l'Homme à se corrompre dans la plus vile des violences, est comme le signe en négatif de son appartenance au genre humain. Elle manifeste la perversion toujours possible de sa liberté.

C'est par la conscience et la liberté que l'Homme s'écarte de ce que la nature lui prescrit. Or, précisément, cette liberté peut le conduire à se dépasser lui-même dans le bien le plus haut, comme dans le mal le plus effrayant. Ce qui naît de la conscience et de la liberté, c'est donc la morale, mais aussi la possibilité d'en violer les exigences jusque dans la démesure de l'inhumain. À partir de là, et pour tirer toutes les conséquences de la liberté, nous devons également affirmer que nul n'est ni méchant ni bon naturellement, mais qu'il devient l'un ou l'autre en fonction de ce qu'il fait. Il n'y a donc ni inhumanité ni humanité naturelles dans nos comportements, il y a la volonté d'obéir aux obligations morales qui font du sujet un Homme dans toute sa dignité ou, au contraire, le désir toujours possible de se soustraire à ces obligations jusque dans leurs aspects les plus élémentaires. Il faut donc être conscient et libre pour être inhumain, il faut poser un acte, et pouvoir l'assumer. Reste à savoir ce que l'on doit faire, ce qui est juste, et comment user de cette liberté qui est aussi un fardeau…

Le sens du devoir

En guise d'entrée en matière philosophico-ludique, voici quelques citations qui nous aident à penser la question du devoir et de la justice. À votre avis, pourquoi leurs auteurs ont-ils formulé ces idées ? Faites votre choix parmi les différentes propositions.

1. « Plaisante justice qu'une rivière borne. »
   Pascal, *Pensées*.
   a. Pascal aimait bien faire du bateau pour se rendre au tribunal.

b. Le mot « pécheur » est très proche du mot « pêcheur ».

c. Notre conception de la justice est relative au lieu où nous habitons et à l'époque dans laquelle nous vivons.

2. « Tu dois, donc tu peux. »
Kant, *Fondements de la métaphysique des mœurs*.

a. Dans les rues de Königsberg[1], Kant ne faisait son jogging qu'avec des Nike aux pieds et que sa devise était « *just do it !* ».

b. Ça sonne bien et il y a peu de mots.

c. Seul un être libre peut avoir des devoirs. Si nos comportements étaient intégralement déterminés par la nature, nous n'aurions pas la possibilité d'agir autrement que selon un pur mécanisme instinctif. Par ailleurs, quelles que soient les excuses que l'on cherche pour justifier d'avoir dérogé à son devoir, on se ment à soi-même.

3. « Il n'y a pas de phénomènes moraux, seulement une interprétation morale des phénomènes. »
Nietzsche, *Par-delà le bien et le mal*.

a. Nietzsche avait de très grosses moustaches et il ne pouvait jamais manger sans avaler des poils, ce qui le rendait profondément aigri.

b. Il n'existe pas de morale « en soi » et c'est nous qui donnons un sens moral aux choses qui arrivent. La conséquence est qu'il n'y a aucune valeur sacrée ou transcendante[2].

c. Nietzsche aimait faire son intéressant devant Lou Andreas-Salomé[3], laquelle préférait savoir quel grand penseur elle allait bientôt pouvoir séduire afin d'avoir sa photo dans *Gala*.

---

1. Königsberg est la ville natale de Kant. Il y vécut jusqu'à sa mort, sans jamais la quitter.
2. *Transcendant* veut dire que cela dépasse notre niveau de réalité et d'existence et que c'est extérieur à nous. Le contraire de *transcendant* est *immanent*.
3. Muse de grands intellectuels du XIXᵉ siècle, elle fut l'égérie de Nietzsche qui lui voua un amour passionné mais néanmoins platonique pendant une période de sa vie.

4. « Celui qui sauve un de ses semblables en danger de se noyer accomplit une action moralement bonne, que son motif d'action soit le devoir ou l'espoir d'être payé de sa peine. »
Stuart Mill, *L'Utilitarisme*.
a. Mill a été surveillant de piscine dans sa jeunesse.
b. L'eau ça mouille et il faut être philosophe pour le savoir.
c. Il faut comprendre que ce qui compte dans une action morale, c'est son résultat.

5. « L'obéissance au devoir est une résistance à soi-même. »
Bergson, *Les Deux Sources de la morale et de la religion*.
a. Faire son devoir implique toujours de résister à la tentation d'y déroger. L'action morale suppose donc une véritable tension intérieure.
b. Bergson faisait de la musculation.
c. Bergson était membre des Weight Watchers et il peinait à perdre ses bourrelets avant chaque été.

6. « Conscience ! conscience ! instinct divin, immortelle et céleste voix ; guide assuré d'un être ignorant et borné, mais intelligent et libre ; juge infaillible du bien et du mal, qui rend l'homme semblable à Dieu, c'est toi qui fais l'excellence de sa nature et la moralité de ses actions. »
Rousseau, *Émile ou De l'éducation*.
a. Rousseau s'est toujours dit qu'il voulait être Chateaubriand ou rien, lequel aimait à faire des phrases plus longues que celles de Kant.
b. La présence en nous de la conscience nous offre la possibilité de voir et de faire ce qui est bien, et ceci tout homme en est capable.
c. L'explication est simple : Rousseau n'avait pas le temps d'écrire l'*Émile* et d'élever ses enfants parallèlement[1].

---

1. Rousseau déposa ses enfants aux Enfants assistés, faute de pouvoir leur assurer une subsistance et une vie stable. Il s'en explique dans les *Confessions* et dans une lettre à Mme de Francueil.

7. « Une seule hirondelle ne fait pas le printemps ; un seul acte moral ne fait pas la vertu. »
Aristote, *Éthique à Nicomaque*.
a. L'action morale suppose résolution et constance. Agir moralement, c'est *toujours* s'efforcer de le faire et pas seulement de manière discontinue ou au hasard des circonstances.
b. Les oiseaux ont toujours fasciné Aristote.
c. Tout le monde le sait : les hirondelles ont une influence sur les saisons. Il en faut au moins deux pour faire venir le printemps.

8. « Notre conscience, loin d'être le juge implacable dont parlent les moralistes, est, par ses origines, de "l'angoisse sociale" et rien de plus. »
Freud, *Essais de psychanalyse*.
a. Freud désirait sa maman et il n'aimait pas Rousseau.
b. Il ne savait plus où il avait mis sa cocaïne[1].
c. La conscience morale est avant tout de la « mauvaise conscience » et l'intériorisation d'interdits culturels qui provoquent une frustration nécessaire de nos désirs.

9. « Il vaut mieux subir l'injustice que la commettre. »
Platon, *Apologie de Socrate*.
a. À choisir entre les deux, et même si chaque situation est détestable, il est plus grave de faire le mal que de le subir : celui qui commet une injustice s'éloigne de la vertu et ne peut donc être heureux.
b. En fait, déjà à l'école, Socrate préférait jouer avec les filles.
c. On l'oublie trop souvent, mais Socrate n'était pas très sportif.

10. « C'est aux esclaves, non aux hommes libres, que l'on fait un cadeau pour les récompenser de s'être bien conduits. »
Spinoza, *L'Éthique*.

---

1. Freud connaissait bien les propriétés euphorisantes et analgésiques de cette drogue. Il en a étudié médicalement les effets sur lui-même et consommé quelques doses régulièrement.

a. Parce que Spinoza ne croyait plus au père Noël.

b. Comme bien des philosophes, il ne savait jamais quoi offrir pour la fête des Mères.

c. Une action vertueuse est à elle-même sa propre récompense et si l'on agit dans le seul but d'en tirer un profit, il n'y a plus de morale.

Qu'en pensez-vous?

Dans l'exercice précédent, vous avez lu des pensées. Maintenant, c'est à vous de réfléchir en méditant les questions qui suivent. Laissez-vous le temps de les lire une par une, puis élaborez une problématique. Le raisonnement philosophique se construit toujours ainsi, comme nous l'avons déjà indiqué au début de cet ouvrage : nous ne pouvons répondre aux questions de manière immédiate, par oui ou par non, mais il faut découvrir les enjeux et les problèmes qu'elles recèlent au revers de l'apparence. Afin de vous aider dans cet exercice de réflexion, nous vous proposons de vous appuyer sur une structure de pensée qui, quoique très formelle, a le mérite d'organiser précisément les idées.

Dans un premier temps, cherchez ce que l'opinion première vous pousse à dire. Ensuite, essayez d'en pointer les limites ou les insuffisances à travers une objection. Enfin, posez la question qui naît de cette opposition. Vous serez ainsi rompu à l'art de la dissertation qui repose sur cette entrée interrogative nous amenant à dépasser les oppositions immédiates par une approche dialectique[1]. Voici un exemple pour vous aider :

---

1. En grec, *dialegein* veut dire « discuter avec quelqu'un ». Le mot est formé à partir du préfixe *dia* qui signifie approximativement « à travers », et du verbe *legein* qui renvoie au *logos*, c'est-à-dire à la fois à la raison et au discours. Originellement, la dialectique est l'art du dialogue dont se sert en particulier Socrate, pour « accoucher » ses interlocuteurs de la vérité dont ils n'ont pas conscience ou qu'ils refusent de reconnaître. Ainsi, à travers le discours rationnel travaillé par un dialogue, on chemine ensemble vers le vrai par examen et réfutation de positions contradictoires.

Faut-il rendre le mal pour le mal ?

OPINION

L'antique loi du Talion préconise de rendre «œil pour œil et dent pour dent[1]». Il semble que ce soit là une formule de sagesse parce que la peine se doit d'être équivalente au crime. Dès lors, pour chaque préjudice causé, il faut une réparation qui repose sur une réciprocité. Le fait de rendre le mal pour le mal semble accomplir pleinement cet objectif.

OBJECTION

Pourtant, cette manière de rendre la justice est certainement à la fois inefficace et absurde. Inefficace, parce que le fait de causer exactement le même dommage sanctionne le fautif, mais ne répare pas le mal de la victime. Absurde enfin, parce qu'il est des torts que nulle punition ne peut effacer. Par exemple, tuer un assassin ne fait pas revenir les morts.

PROBLÈME

À vouloir rendre le mal pour le mal, ne confond-on pas la justice et la vengeance ? Ce faisant, ne s'expose-t-on pas à une dangereuse escalade de la violence, lors même qu'on veut la conjurer ?

C'est à vous...

1. *Peut-on dire que nul n'est méchant volontairement ?*
Opinion/Objection/Problème

2. *Pour être juste, suffit-il d'obéir aux lois de son pays ?*
Opinion/Objection/Problème

3. *Si Dieu n'existe pas, tout est-il permis[2] ?*
Opinion/Objection/Problème

---

1. Voir la Bible, Exode 21. *Talion* vient du latin *talis* qui signifie «tel» ou «identique».
2. Cette question hante les frères Karamazov dans le roman homonyme de Dostoïevski. Il est amusant d'envisager différemment le problème, à la façon de Woody Allen qui déclare : «Si Dieu existe, j'espère qu'il a une bonne excuse. »

4. *L'obligation morale n'est-elle qu'une obligation sociale fluctuante avec le temps ?*
Opinion/Objection/Problème

5. *Entre faire son devoir et être heureux, y a-t-il nécessairement contradiction ?*
Opinion/Objection/Problème

Réponses

Le sens du devoir

1. c, 2. c, 3. b, 4. c, 5. a, 6. b, 7. a, 8. c, 9. a, 10. c.

Qu'en pensez-vous ? (exemples de solutions)

1. *Peut-on dire que nul n'est méchant volontairement ?*

OPINION
La méchanceté consiste à occasionner un tort en ayant pleinement conscience de ce que l'on fait et en en tirant satisfaction. En tant qu'être libre, l'homme qui fait le mal agit en connaissance de cause et ne peut se trouver aucune excuse.

OBJECTION
Pourtant, bien des comportements détestables sont, tôt ou tard, suivis de remords et la formule consacrée « si j'avais su ! » atteste que le sujet qui se rend coupable d'une mauvaise action a été aveuglé par son ignorance et la méconnaissance du vrai bien.

PROBLÈME
Mais alors, si la méchanceté n'est qu'ignorance, peut-on encore incriminer celui qui en fait preuve ? Dans ces conditions, faut-il renoncer à punir pour seulement éduquer ?

2. *Pour être juste, suffit-il d'obéir aux lois de son pays ?*

OPINION
Les lois fixent ce qui est permis et ce qui est autorisé, en permettant ainsi à chacun de trouver la limite raisonnable de ses actions. Si nous obéissions tous aux lois de notre pays, il n'y aurait plus besoin de tribunaux et la justice serait spontanément effective.

OBJECTION
On peut toutefois se demander si cette position première n'abrite pas un présupposé fort contestable, consistant à identifier la légalité et la justice. En effet, ce n'est pas parce qu'une loi est fixée dans un code qu'elle est juste : si un texte préconisait la ségrégation raciale, celle-ci ne serait pas acceptable pour autant. Par ailleurs, le vol est proscrit, pas l'égoïsme ; on n'a pas le droit de réduire quelqu'un en escla-

vage, mais rien ne nous interdit de le mépriser. Les lois ne se substituent donc pas à la morale.

PROBLÈME
Est-ce à l'idée de justice de se soumettre à la légalité des textes établis ou à la légalité de se plier aux exigences de la justice ? Les lois établies peuvent-elles tenir lieu de conscience ?

3. *Si Dieu n'existe pas, tout est-il permis ?*

OPINION
L'existence de Dieu semble indispensable pour fonder la morale. D'abord parce que la foi qu'on a en lui constitue un puissant mobile pour y obéir. Ensuite parce que sans Dieu, il n'y a pas de fondement objectif et transcendant[1] des valeurs qui deviennent alors toutes relatives. Enfin (et surtout), parce que la crainte d'un châtiment éternel et l'espoir d'une récompense céleste nous contraignent à la respecter.

OBJECTION
Toutefois, selon cette perspective, l'Homme se trouve incapable de fonder à partir de lui-même ses propres valeurs. Par ailleurs, seule la croyance religieuse nous délivre vraiment du mal et le mécréant est, *ipso facto*, suspect d'inaptitude à la vertu.

PROBLÈME
Peut-être que tout n'est pas permis, précisément lorsque Dieu n'existe pas. En effet, s'il nous a créés, alors nous avons une nature humaine figée et nous n'avons pas le choix de nos actions. Sans Dieu, au contraire, n'est-ce pas là que nous devenons vraiment responsables de nous-mêmes et du monde ?

4. *L'obligation morale n'est-elle qu'une obligation sociale fluctuante avec le temps ?*

OPINION
Bon nombre de nos valeurs reposent sur des usages et des habitudes codifiés socialement. Elles connaissent aussi une évolution dans l'Histoire et ne sont pas partout les mêmes. Dès lors, nous avons la morale qui correspond à notre édu-

---

1. Voir la définition proposée dans le commentaire de la citation de Nietzsche, p. 25.

cation ainsi qu'à notre culture et nous lui obéissons par pure convention.

OBJECTION
Si les mœurs changent effectivement, une éthique invariable est cependant pensable. Bien plus, nous avons les moyens de la fonder réellement puisque, derrière les habitudes sociales relatives au temps et aux coutumes, chacun possède une conscience qui lui permet de s'accorder avec tout autre, pourvu que ce soit la raison qui anime ses choix.

PROBLÈME
S'il est tentant de poser un relativisme des valeurs, on court le risque d'accomplir leur disparition pure et simple. Ne peut-on pas au contraire puiser, dans notre raison, les fondements d'une morale universelle ? Dans cette perspective, le sujet peut donc s'obliger seul, sans se sentir uniquement déterminé par une contrainte sociale.

5. *Entre faire son devoir et être heureux, y a-t-il nécessairement contradiction ?*

OPINION
Lorsqu'on doit faire son devoir, ce n'est souvent pas de gaieté de cœur parce que cela suppose généralement de renoncer à ce qui nous fait plaisir ou à ce qui satisfait nos désirs. Dès lors, entre le devoir et le bonheur, il semble bien y avoir une contradiction et un choix systématiquement douloureux. Sans doute est-ce ce qui explique qu'il soit si difficile de faire ce que l'on doit !

OBJECTION
Cependant, cette contradiction n'est peut-être qu'apparente. Il suffit d'abord d'inverser la question pour apercevoir ses limites : est-ce en fuyant son devoir qu'on est heureux ? Ensuite, il y a un présupposé abusif qui consiste à affirmer que, par essence, le bonheur s'oppose au devoir puisque telle qu'elle est formulée, la question implique une nécessité.

PROBLÈME
N'est-ce pas, tout au contraire, justement dans l'accomplissement d'une vie vertueuse que l'on peut atteindre la vraie satisfaction et la plénitude que nos seuls désirs nous interdisent d'obtenir ? Le « sentiment du devoir accompli », comme on dit parfois, n'est-il pas porteur d'une certaine forme de joie ?

Conclusion

Cogito ergo Boum !

Au terme de ce petit voyage ludique à travers la philosophie, on peut espérer que vos représentations de cette discipline réputée obscure et compliquée auront implosé. D'abord parce que vous avez dû vous rendre compte que les problèmes qu'elle pose partent le plus souvent de choses qui nous touchent directement : la vie, les mots, le désir, le bonheur, la liberté, etc. Ensuite parce que, pour avoir été mis vous-même en position de réflexion dans les jeux et les exercices proposés, vous savez maintenant que vous êtes aussi « philosophe dans l'âme ». La philosophie est donc avant tout une activité. Si elle n'était qu'un contenu ou une somme de connaissances, la simple maîtrise de l'histoire des idées philosophiques serait la condition à la fois nécessaire et suffisante de sa réalisation, mais ce n'est pas le cas : aucun livre ni aucun maître ne doit nous tenir lieu de directeur de conscience. Bien sûr, ces connaissances sont incontestablement utiles et vous avez pu constater que les pensées des autres nous sont d'un grand secours pour élaborer notre propre réflexion. Elles n'ont cependant de sens que lorsqu'elles sont mises au service d'un questionnement personnel préalable, se déployant d'abord dans l'intimité de nos propres interrogations.

« *Hâtons-nous de rendre la philosophie populaire* », écrivait Diderot[1], et c'est là une véritable exigence philosophique. La recherche de la sagesse n'a pas à être confisquée par une élite ou une institution et nous vous souhaitons de poursuivre vos propres investigations en continuant le jeu de la pensée.

---

1. *De l'interprétation de la nature*, 1753.

$\mathcal{L}ibrio$

860

Composition PCA – 44400 Rezé
Achevé d'imprimer en France par Aubin
en février 2008 pour le compte de E.J.L.
87, quai Panhard-et-Levassor, 75013 Paris
Dépôt légal février 2008
EAN 9782290006849

Diffusion France et étranger : Flammarion